Édition: Pascale Mongeon
Direction artistique
  et design graphique: Christine Hébert
Infographie: Johanne Lemay
Traitement des images: Mélanie Sabourin
Révision: Sylvie Massariol et Brigitte Lépine
Correction: Sylvie Massariol et Odile Dallaserra
Photos de couverture
  et des ouvertures de chapitre: Maude Chauvin
Photos des recettes et des exercices:
  Michel Paquet
Révision/Stylisme culinaire: Éric Régimbald
Styliste accessoiriste: Irène Garavelli
Maquillage et coiffure: Véronique Prud'homme
Illustrations: Shutterstock

Merci à Lolë pour leur contribution
  (vêtements d'exercices de Josée).

Données de catalogage disponibles auprès de
Bibliothèque et Archives nationales du Québec

Suivez-nous sur le Web

Consultez nos sites Internet et inscrivez-vous à
l'infolettre pour rester informé en tout temps de nos
publications et de nos concours en ligne. Et croisez
aussi vos auteurs préférés et notre équipe sur nos
blogues!

EDITIONS-HOMME.COM
EDITIONS-JOUR.COM
EDITIONS-PETITHOMME.COM
EDITIONS-LAGRIFFE.COM

DISTRIBUTEURS EXCLUSIFS:

Pour le Canada et les États-Unis:
MESSAGERIES ADP inc.*
2315, rue de la Province
Longueuil, Québec J4G 1G4
Téléphone : 450-640-1237
Télécopieur: 450-674-6237
Internet: www.messageries-adp.com
* filiale du Groupe Sogides inc.,
  filiale de Québecor Média inc.

Pour la France et les autres pays:
INTERFORUM editis
Immeuble Paryseine, 3, allée de la Seine
94854 Ivry CEDEX
Téléphone : 33 (0) 1 49 59 11 56/91
Télécopieur: 33 (0) 1 49 59 11 33
Service commandes France Métropolitaine
Téléphone : 33 (0) 2 38 32 71 00
Télécopieur: 33 (0) 2 38 32 71 28
Internet: www.interforum.fr
Service commandes Export – DOM-TOM
Télécopieur: 33 (0) 2 38 32 78 86
Internet: www.interforum.fr
Courriel: cdes-export@interforum.fr

Pour la Suisse:
INTERFORUM editis SUISSE
Route André Piller 33A, 1762 Givisiez – Suisse
Téléphone : 41 (0) 26 460 80 60
Télécopieur: 41 (0) 26 460 80 68
Internet: www.interforumsuisse.ch
Courriel: office@interforumsuisse.ch
Distributeur: OLF S.A.
ZI. 3, Corminboeuf
Route André Piller 33A, 1762 Givisiez – Suisse
Commandes:
Téléphone : 41 (0) 26 467 53 33
Télécopieur: 41 (0) 26 467 54 66
Internet: www.olf.ch
Courriel: information@olf.ch

Pour la Belgique et le Luxembourg:
INTERFORUM BENELUX S.A.
Fond Jean-Pâques, 6
B-1348 Louvain-La-Neuve
Téléphone : 32 (0) 10 42 03 20
Télécopieur: 32 (0) 10 41 20 24
Internet: www.interforum.be
Courriel: info@interforum.be

03-16

Imprimé au Canada

Dépôt légal: 2016
Bibliothèque et Archives nationales du Québec

ISBN 978-2-7619-4395-6

Gouvernement du Québec – Programme de
crédit d'impôt pour l'édition de livres – Gestion
SODEC – www.sodec.gouv.qc.ca

L'Éditeur bénéficie du soutien de la Société de
développement des entreprises culturelles du

Conseil des Arts   Canada Council
du Canada   for the Arts

Nous remercions le Conseil des Arts du Canada
de l'aide accordée à notre programme de
publication.

Nous reconnaissons l'aide financière du gouvernement du Canada par l'entremise du Fonds du
livre du Canada pour nos activités d'édition.

Isabelle **HUOT** et Josée **LAVIGUEUR**

WITHDRAWN

MANGER ET BOUGER
au féminin

LES ÉDITIONS DE
L'HOMME

Une société de Québecor Média

TABLE DES MATIÈRES

Manger au féminin

J'exerce en clinique privée depuis plus de 20 ans. Chaque semaine, je rencontre des femmes aux prises avec différents problèmes qui affectent leur qualité de vie. Si elles consultent essentiellement pour perdre du poids, plusieurs témoignent de leur manque d'énergie, des exigences de la conciliation travail-famille, de leur moral à plat et, finalement, de leur difficulté à composer avec la période difficile de la ménopause. Certaines cherchent aussi à améliorer leur apparence sans avoir recours à la chirurgie esthétique.

J'ai eu envie de rassembler dans ce livre tous les conseils nutritionnels s'adressant aux femmes, peu importe leur âge. Tout comme pour mes livres précédents, j'ai voulu proposer des recettes savoureuses, simples et rapides à préparer, qui s'adaptent parfaitement au rythme de vie d'aujourd'hui.

En m'associant à ma collègue et amie Josée, je souhaitais offrir un ouvrage complet au service des femmes. Un recueil de conseils, de recettes et de programmes d'activité physique qui les aiderait dans leur quotidien, à différentes phases de leur vie.

Bien manger au féminin, c'est mettre de l'avant les aliments clés qui répondront aux besoins spécifiques des femmes. Une femme en santé, physiquement et psychologiquement, ne peut que rayonner.

Isabelle Huot,
Dt.P, PhD, docteure en nutrition

Bouger au féminin

Ce livre arrive à un moment spécial dans ma carrière : il me permet de souligner 30 ans dans le monde du conditionnement physique et de la santé. Quelle belle façon de célébrer !

Il se veut un moyen concret et accessible de répondre en détail aux multiples questions qui me sont posées régulièrement par tant de femmes de tous âges, motivées à prendre leur santé en main. J'estime que c'est un privilège de pouvoir répondre à ces demandes, et je me sens choyée de cette confiance que les femmes me témoignent depuis si longtemps.

C'est aussi l'occasion de travailler une fois de plus avec Isabelle, une collègue et amie pour qui j'ai un grand respect. Nos réflexions, nos conférences et nos missions se complètent si bien !

Les femmes sont au centre de notre travail et c'est un immense plaisir de leur offrir ce livre qui, je l'espère sincèrement, les motivera à mieux manger et à bouger davantage.

Alors à vous toutes, merci de nous faire confiance. Bravo pour votre détermination et surtout… à votre santé !

Josée Lavigueur,
B. Sc. Éduc. physique et kinésiologue

CHAPITRE 1

En panne d'énergie?

Les astuces
d'*Isabelle*

Outre la perte de poids, la raison principale pour laquelle la majorité des femmes viennent me consulter est assurément le manque d'énergie. Plusieurs d'entre elles ne ressentent plus la vitalité qu'elles avaient auparavant et ont peine à terminer leurs journées. Lassitude, épuisement, manque de concentration comptent parmi les problèmes évoqués. Et si on regardait du côté de leur assiette pour leur redonner du pep!

① *Miser sur le fer*

Chez près de 40 % des femmes, les réserves de fer sont faibles ou même épuisées. Pas étonnant qu'elles se sentent à plat! Bien que le fait de vider ses réserves ne rime pas nécessairement avec anémie, l'effet sur l'organisme est tout de même déjà significatif.

Dans notre organisme, le fer se loge principalement dans les globules rouges (plus précisément dans l'hémoglobine). Les globules rouges ont pour fonction de transporter l'oxygène aux cellules. Comme le fer est essentiel à l'oxygénation des cellules, les premiers symptômes d'une carence en fer sont liés à cet apport d'air insuffisant aux tissus: pâleur, fatigue, baisse des capacités physiques et intellectuelles, irritabilité, troubles de la mémoire, moins bonne résistance aux infections, ongles fragiles et cassants, étourdissements, etc.

Dans l'anémie, qui est une forme plus grave de carence en fer, ces symptômes deviennent plus prononcés. Si le problème perdure, voire s'aggrave, la santé des organes qui requièrent beaucoup d'oxygène (cœur, cerveau...) devient menacée.

EST-CE QUE JE CONSOMME ASSEZ DE FER?

Après la puberté, les femmes ont des besoins en fer plus élevés que les hommes, car chaque mois, elles perdent du fer dans leurs règles. À la ménopause, leurs besoins en fer chutent donc considérablement.

Les besoins quotidiens en fer chez la femme, selon l'âge

9-13 ans	14-18 ans	19-50 ans	51 ans et plus	Grossesse 18-50 ans	Allaitement 18 ans et moins	Allaitement 18-50 ans
8 mg	15 mg	18 mg	8 mg	27 mg	10 mg	9 mg

Certaines femmes sont davantage à risque d'anémie:

→ Les femmes enceintes;
→ Les femmes dont les règles sont particulièrement abondantes;
→ Les végétariennes (surtout les végétaliennes);
→ Les athlètes;
→ Les femmes qui souffrent d'une malabsorption du fer ou d'une perte de sang chronique (cancer du côlon, maladies inflammatoires de l'intestin).

COMMENT COMBLER MES BESOINS QUOTIDIENS EN FER?

Le corps humain ne peut synthétiser le fer ; on doit donc obligatoirement aller chercher ce minéral dans notre alimentation. Il existe deux sortes de fer : hémique et non hémique.

Le **fer hémique**, que l'on trouve surtout dans les aliments d'origine animale, est très bien absorbé par l'organisme (taux d'absorption d'environ 25 %). Les sources de fer animales – les abats, les viandes rouges, la volaille, les poissons et les fruits de mer, notamment – sont donc celles qui procurent le meilleur apport en fer.

Les 10 meilleures sources de fer hémique

Aliment	Portion	Quantité
1- Foie de porc cuit	75 g (2 ½ oz)	13,44 mg
2- Foie de poulet cuit	75 g (2 ½ oz)	9,66 mg
3- Rognons d'agneau cuits	75 g (2 ½ oz)	9,30 mg
4- Canard sauvage cuit	75 g (2 ½ oz)	7,35 mg
5- Poulpe (pieuvre) cuite	75 g (2 ½ oz)	7,20 mg
6- Huîtres cuites	75 g (2 ½ oz)	6,15 mg
7- Foie de bœuf cuit	75 g (2 ½ oz)	4,90 mg
8- Rognons de bœuf cuits	75 g (2 ½ oz)	4,35 mg
9- Foie de veau cuit	75 g (2 ½ oz)	3,83 mg
10- Viande de gibier, orignal cuits	75 g (2 ½ oz)	3,75 mg

Qu'est-ce que l'anémie du sportif?

Certaines personnes dont l'entraînement physique est important et assidu peuvent souffrir d'un problème de santé appelé «anémie du sportif», en particulier les femmes et les végétariens. Cette diminution des réserves de fer peut nuire à la bonne adaptation à l'effort et avoir un impact négatif sur la performance. Il faut donc prendre soin d'intégrer de bonnes sources de fer au menu quotidien.

Teneur en fer des viandes fréquemment consommées

Aliment (portion de 75 g/2 ½ oz)	Quantité
1- Cubes de bœuf à ragoût, cuits	2,63 mg
2- Rôti de bœuf, braisé	2,42 mg
3- Haut de surlonge de bœuf, cuit	2,08 mg
4- Bœuf haché extra-maigre, cuit	2,04 mg
5- Escalope de veau de grain, cuite	1,42 mg
6- Gigot d'agneau, cuit	1,29 mg
7- Cuisse de poulet, rôtie	1,00 mg
8- Haut de cuisse de poulet, rôti	1,00 mg
9- Filet de porc, rôti	0,98 mg
10- Porc haché maigre, cuit	0,92 mg
11- Poitrine de poulet, rôtie	0,81 mg
12- Dinde hachée, cuite	0,81 mg
13- Veau haché maigre, cuit	0,74 mg
14- Jambon maigre, tranché	0,54 mg

Le **fer non hémique** est fourni par les aliments d'origine végétale. Sous cette forme, le fer est moins bien absorbé par l'organisme (taux d'absorption d'environ 2 à 5%). Cela s'explique en partie par le fait que les aliments d'origine végétale contiennent aussi des fibres et des phytates (notamment le son, les légumineuses, etc.), qui entravent l'absorption du fer. Côté végétal, les meilleures sources sont les légumineuses, le tofu, les grains entiers et certains légumes (surtout vert foncé) (voir aussi le tableau p. 13). D'autres aliments tels que la mélasse noire, les fruits séchés, les noix et les graines sont de bonnes sources; toutefois, comme on les consomme généralement en petites quantités, ils ne participent pas beaucoup à l'apport quotidien en fer.

Bon à savoir

Si les carences ne se corrigent pas avec l'alimentation seulement, on peut envisager l'achat d'un supplément. Plusieurs suppléments de vitamines et de minéraux destinés aux femmes de 50 ans et moins contiennent 14 mg de fer par comprimé, ce qui est suffisant pour la plupart des femmes. Si vous êtes enceinte ou si vous souffrez d'anémie aiguë, vous aurez toutefois besoin d'un supplément de fer plus concentré. Le pharmacien pourra vous guider vers le bon choix. Puisque les suppléments de fer favorisent la constipation, il sera alors important d'augmenter parallèlement votre apport en fibres et en eau.

Les 10 meilleures sources de fer non hémique

Aliment	Portion	Quantité
1- Céréales pour bébés, enrichies	125 ml (½ tasse)	9,77 mg
2- Haricots de soya sec, cuits	175 ml (¾ tasse)	6,5 mg
3- Crème de blé, cuite	175 ml (¾ tasse)	5,75 mg
4- Gruau instantané, cuit	175 ml (¾ tasse)	5,55 mg
5- Haricots blancs, bouillis	175 ml (¾ tasse)	4,90 mg
6- Lentilles bouillies	175 ml (¾ tasse)	4,88 mg
7- Graines de citrouille, courges, rôties	60 ml (¼ tasse)	4,65 mg
8- Mélasse noire	15 ml (1 c. à soupe)	3,60 mg
9- Pois chiches, bouillis	175 ml (¾ tasse)	3,51 mg
10- Épinards, cuits	125 ml (½ tasse)	3,40 mg

COMMENT FACILITER L'ABSORPTION DU FER?

En moyenne, une personne adulte absorbe 18 % du fer qu'elle consomme. Plus les réserves de l'organisme en fer s'abaissent, plus la capacité d'absorption augmente. L'absorption du fer inclus dans un repas ou une collation peut ainsi varier de 3 à 35 %.

Les facteurs qui améliorent son absorption

Pour faciliter l'absorption du fer non hémique, on suggère de consommer ce que l'on appelle des «facilitateurs d'absorption», tels que la vitamine C (voir le tableau ci-dessous), les viandes, les volailles et les poissons. Par exemple, un verre de jus d'orange favorisera l'absorption du fer contenu dans une rôtie de blé entier, et un peu de viande dans un chili favorisera l'absorption du fer contenu dans les haricots rouges.

Les 10 meilleures sources de vitamine C

Aliment	Portion	Quantité
1- Goyave	1 fruit	206 mg
2- Poivron jaune, cru	125 ml (½ tasse)	144 mg
3- Poivron rouge, cru	125 ml (½ tasse)	100 mg
4- Papaye	½ fruit	94 mg
5- Fraises, entières	250 ml (1 tasse)	90 mg
6- Kiwi	1 gros	84 mg
7- Orange	1 fruit moyen	70 mg
8- Litchis	10 fruits	69 mg
9- Poivron vert, cru	125 ml (½ tasse)	63 mg
10- Brocoli	125 ml (½ tasse)	41 mg

Bon à savoir

→ Les liquides ayant une teneur modérée en polyphénols (50-70 mg) peuvent réduire l'absorption du fer de 50 à 70%. Ceux qui ont une teneur plus élevée en polyphénols peuvent réduire son absorption jusqu'à 90%.

→ Le vin rouge peut diminuer l'absorption du fer de 30%.

→ Les aliments riches en phytates (haricots de soya, graines de tournesol, légumineuses, céréales) peuvent réduire l'absorption du fer de 18 à 82%.

→ Les suppléments de calcium peuvent diminuer l'absorption du fer de 28 à 62%.

Les facteurs qui entravent son absorption

Les polyphénols du thé, du café et du chocolat comptent parmi les principaux facteurs qui entravent l'absorption du fer non hémique. Les phytates (contenus dans les légumineuses et les produits céréaliers) affectent aussi négativement son absorption. D'autres éléments tels que le calcium, surtout pris sous forme de supplément, nuisent à l'absorption du fer; les personnes qui prennent de façon régulière un supplément de calcium ou des antiacides à base de calcium doivent donc veiller à avoir un bon apport en fer.

À retenir

Pour éviter les carences, on choisit de bonnes sources de fer tous les jours et on tente d'optimiser l'absorption du fer que l'on consomme grâce, notamment, à un bon apport en vitamine C.

Alléger ses repas

GINETTE A L'HABITUDE DE PRENDRE UN GROS REPAS POUR LE DÎNER. Ce repas, bien que réconfortant, demande trop d'efforts à son système digestif, ce qui entrave son niveau d'énergie global. En après-midi, elle tend à s'assoupir au travail et a de la difficulté à se concentrer pour accomplir ses tâches quotidiennes.

Pour être au sommet de ses capacités cognitives, on doit manger peu de gras et peu de sucre à l'heure du dîner. Le soir venu, pour favoriser l'endormissement et un sommeil réparateur, on doit manger léger et inclure un féculent.

COMMENT RÉDUIRE MA CONSOMMATION DE SUCRE?

Les repas trop riches en glucides (produits céréaliers et sucres) entravent sérieusement le niveau d'énergie. Voici cinq trocs alimentaires faciles à adopter; ils feront une grosse différence dans votre consommation quotidienne de sucre et vous aideront à retrouver votre énergie.

5 repas trop riches en glucides : 5 trocs avantageux

2 rôties + 15 ml (2 c. soupe) de confiture régulière + 250 ml (1 tasse) de jus de fruits **= 80 g de glucides.**	On remplace la confiture par la même quantité de beurre d'arachide naturel et le jus par 125 ml (½ tasse) de lait **= 44 g de glucides.**	→ **ON ÉPARGNE** donc 36 g de glucides, soit l'équivalent de 45 ml (9 c. à thé) de sucre.
Smoothie maison [250 ml (1 tasse) de lait + 1 banane + 125 ml (½ tasse) de fruits congelés] + 1 muffin du commerce (60 g) **= 100 g de glucides.**	On enlève la banane et on double la quantité de fruits congelés ; on troque le muffin du commerce pour un petit muffin maison **= 50 g de glucides.**	→ **ON ÉPARGNE** donc 50 g de glucides, soit l'équivalent de 62,5 ml (12,5 c. à thé) de sucre.
Un club sandwich + 15 frites + 1 cannette de boisson gazeuse **= 110 g de glucides.**	On prend la moitié du sandwich, on remplace les frites par une salade et on troque la boisson gazeuse pour un jus de légumes **= 50 g de glucides.**	→ **ON ÉPARGNE** 60 g de glucides, soit l'équivalent de 75 ml (15 c. à thé) de sucre.
Une grande tortilla à la dinde + 250 ml (1 tasse) de salade de pâtes + 125 ml (½ tasse) de salade de fruits **= 85 g de glucides.**	On remplace la salade de pâtes par une salade de légumes mixte et on déplace la salade de fruits en collation **= 40 g de glucides.**	→ **ON ÉPARGNE** 45 g de glucides, soit l'équivalent de 55 ml (11 c. à thé) de sucre.
Un repas de spaghetti contenant 375 ml (1 ½ tasse) de pâtes accompagné de 2 tranches de pain à l'ail **= 90 g de glucides.**	On réduit la portion de pâtes à 250 ml (1 tasse) et on remplace le pain à l'ail par une salade **= 50 g de glucides.**	→ **ON ÉPARGNE** 40 g de glucides, soit l'équivalent de 50 ml (10 c. à thé) de sucre.

Le fait de consommer suffisamment de fibres aide à se sentir rassasiée et, surtout, à stabiliser sa glycémie (c'est-à-dire à éviter les variations importantes du taux de sucre dans le sang). Plus la glycémie est stable, plus le niveau d'énergie est constant.

Un truc simple pour augmenter votre consommation de fibres : ajoutez du son d'avoine ou des graines de chia à vos repas et à vos collations.

COMMENT RÉDUIRE MA CONSOMMATION DE GRAS?

Consommer trop de gras lors d'un repas alourdit le travail de digestion et mobilise ainsi de l'énergie qui est non disponible pour nos fonctions cognitives. Pour avoir de la vitalité toute la journée, il faut manger une quantité de gras modérée!

5 repas trop riches en gras : 5 trocs avantageux

2 œufs + 2 rôties + 2 tranches de bacon + 2 saucisses + 250 ml (1 tasse) de pommes de terre rissolées **= 70 g de gras.**	On remplace le bacon et les saucisses par 2 tranches de jambon et on diminue de moitié les pommes de terre rissolées. On ajoute des tranches de tomate et de la laitue **= 25 g de gras.**	→ **ON ÉPARGNE** 45 g de gras, soit l'équivalent de 45 ml (9 c. à thé) de beurre.
2 pointes de pizza toute garnie + frites **= 40 g de gras.**	On opte pour une seule pointe de pizza et on choisit la végétarienne ; on l'accompagne de salade mixte, vinaigrette servie à part **= 10 g de gras.**	→ **ON ÉPARGNE** 30 g de gras, soit l'équivalent de 30 ml (6 c. à thé) de beurre.
Une salade César, portion repas, au poulet pané **= 55 g de gras.**	On opte pour une portion modérée de salade variée au poulet grillé, vinaigrette servie à part **= 10 g de gras.**	→ **ON ÉPARGNE** 45 g de gras, soit l'équivalent de 45 ml (9 c. à thé) de beurre.
Un steak frites, soit 225 g (8 oz) de viande + 500 ml (2 tasses) de frites **= 47 g de gras.**	On prend une portion modérée de steak, soit 150 g (5 oz), et on l'accompagne de 250 ml (1 tasse) de riz et 250 ml (1 tasse) de légumes **= 14 g de gras.**	→ **ON ÉPARGNE** 33 g de gras, soit l'équivalent de 32,5 ml (6,5 c. à thé) de beurre.
Un repas de pâtes sauce Alfredo + 2 tranches de pain à l'ail **= 50 g de gras.**	On opte pour la soupe aux légumes en entrée, suivie de la demi-portion de pâtes sauce marinara et d'une portion modérée de poulet grillé **= 15 g de gras.**	→ **ON ÉPARGNE** 35 g de gras, soit l'équivalent de 35 ml (7 c. à thé) de beurre.

③ Manger 5 ou 6 fois par jour

Vous pouvez combattre la fatigue ou les baisses d'énergie et de concentration en ajoutant des collations au moment approprié, soit en milieu d'avant-midi et en milieu d'après-midi. Assurez-vous toutefois de choisir une collation saine, qui saura vous soutenir jusqu'au prochain repas tout en vous fournissant des éléments nutritifs (voir le tableau de la page suivante).

La collation du soir est optionnelle, selon l'heure du souper et le niveau d'activité physique en soirée. Par exemple, si vous prenez votre dernier repas à 19 heures et que vous vous couchez à 21 h 30, cette collation n'est pas nécessaire. Par contre, si vous prenez votre repas familial tôt, par exemple à 17 h 30, et que le coucher est tardif, une collation devient un atout.

Manger une collation peut non seulement favoriser la perte de poids, mais également vous aider à consommer les portions recommandées de fruits, de légumes et de produits laitiers. Choisissez des collations faibles en gras, peu caloriques et riches en nutriments. En ayant en tout temps sous la main des collations nutritives, vous réduirez les risques d'être tentée par des choix moins judicieux, vendus dans différents points de service. La clé est de bien s'organiser en préparant à l'avance des fruits, des sacs individuels de noix et des crudités.

QUELLES COLLATIONS CHOISIR?

Une collation idéale fournit une source de glucides, pour de l'énergie rapide, et une source de protéines, pour soutenir plus longtemps l'organisme. Les collations constituées de fruits et de yogourt figurent parmi les meilleurs choix.

Il existe deux types de glucides: les glucides simples, qui sont les plus rapidement assimilables par le corps et qui fournissent donc de l'énergie plus rapidement (fruits, légumes, jus, etc.), et les glucides complexes, qui libèrent de l'énergie sur une période un peu plus longue (produits céréaliers, légumineuses).

Par exemple, une barre de céréales aux noix et aux fuits séchés peu grasse fournit à la fois des sucres simples, grâce aux fruits séchés (et au sucre ajouté s'il y a lieu), et des sucres complexes, grâce aux céréales, en plus d'un apport en protéines contenues dans les noix.

Les collations riches en fibres (noix, graines, craquelins de grains entiers, fruits avec pelure) favorisent une sensation de satiété.

Les collations qui suivent apportent environ 15 g de glucides et 7 g de protéines ; il s'agit donc de choix judicieux et satisfaisants.

10 collations complètes et rassasiantes

Collations
→ 100 g (format individuel) de yogourt grec aux fruits
→ 1 poire + 60 ml (¼ tasse) de fromage cottage
→ 15 ml (1 c. à soupe) de canneberges séchées + 30 g (4 c. à soupe) d'amandes
→ 4 toasts Melba + 1 œuf dur
→ 160 ml (⅔ tasse) de fraises entières + 250 ml (1 tasse) de kéfir nature
→ 1 tranche de pain à grains entiers + 10 ml (2 c. à thé) de beurre d'arachide naturel
→ 125 ml (½ tasse) de compote de pommes non sucrée + 20 g de fromage faible en gras
→ 2 craquelins de seigle + 60 ml (¼ tasse) de ricotta
→ 125 ml (½ tasse) de raisins frais + 250 ml (1 tasse) de boisson soya nature
→ 1 petit pita + 30 g (1 oz) de poitrine de dinde ou de jambon

 ## Donner un coup de pouce à son système immunitaire

Lorsque nous sommes la proie d'un virus, il est normal que notre niveau d'énergie ne soit pas optimal. Il est toutefois possible d'aider notre système de défense naturelle à atteindre son plein potentiel, de façon qu'il puisse mieux lutter contre les virus et les bactéries dans l'environnement.

On constate depuis longtemps que les personnes qui souffrent de déficiences nutritionnelles sont plus sujettes aux infections de toutes sortes. Ce qu'on sait moins, par contre, c'est que le fait de se nourrir de façon optimale peut nous mettre à l'abri de bien des maux, car cela agit à titre préventif sur la santé.

Bon à savoir

Un régime qui fournit suffisamment de protéines est essentiel à la santé du système immunitaire.

QUELLES VITAMINES PEUVENT RENFORCER
MON SYSTÈME IMMUNITAIRE?

La vitamine C

Bien que les résultats de certaines recherches soient quelque peu contro-versés, plusieurs spécialistes s'entendent pour dire que la vitamine C pourrait apporter une aide légère à notre système immunitaire. Selon de récentes études, les suppléments de vitamine C ne préviendraient pas le rhume, mais ils réduiraient sa durée et atténueraient légèrement ses symptômes.

Les agrumes, les fraises, le chou, le brocoli et les tomates sont particulièrement riches en vitamine C. (Voir également le tableau de la page 13 pour d'autres sources de vitamine C.)

La vitamine E

La vitamine E, une vitamine liposoluble (c'est-à-dire soluble dans les graisses), joue plusieurs rôles dans l'organisme. Elle agit notamment comme antioxydant. Un apport adéquat en vitamine E augmente la résistance aux infections. Cette vitamine agirait aussi en synergie avec la vitamine C.

On trouve de la vitamine E dans le germe de blé, les noix et les huiles végétales, entre autres.

La vitamine A

La vitamine A apporte un soutien au système immunitaire. Elle diminue aussi les risques de dégénérescence maculaire, de cataracte et de maladies cardiovasculaires.

Une déficience en vitamine A augmente la susceptibilité de l'organisme aux virus et aux infections. Il importe d'incorporer des aliments riches en vitamine A dans notre régime quotidien.

Les fruits et légumes orangés, le foie, les produits laitiers et les œufs sont les principales sources de vitamine A.

La vitamine B_{12}

Une carence en vitamine B_{12} peut conduire à l'anémie et ainsi affaiblir le système immunitaire. Cette vitamine joue de nombreux rôles, entre autres dans le bon fonctionnement du système nerveux.

On trouve de la vitamine B_{12} notamment dans les viandes, les volailles, les œufs, les produits laitiers et les boissons végétales enrichies.

La vitamine D

Le rôle de la vitamine D sur la santé osseuse est connu et établi depuis longtemps. Par ailleurs, des scientifiques œuvrent actuellement à vérifier des corrélations possibles entre la vitamine D et l'inflammation, le système immunitaire, les maladies cardiovasculaires, l'hypertension, le cancer ainsi que certaines maladies auto-immunes (comme la sclérose en plaques).

Bien que les études ne soient pas unanimes sur les bénéfices reliés à cette vitamine, mieux vaut faire le plein d'aliments riches en vitamine D.

Le lait, la margarine, les poissons gras, les champignons et les boissons végétales enrichies fournissent de la vitamine D. Le soleil est aussi une source importante de vitamine D. En hiver, alors que les rayons solaires sont très faibles, on opte pour le supplément (de 400 à 1000 UI par jour).

ET LES MINÉRAUX ?

Le sélénium

Ce minéral antioxydant est associé à la prévention des infections virales et de certains types de cancers.

On trouve du sélénium notamment dans les abats, les fruits de mer, les viandes, les œufs, les noix du Brésil et les produits céréaliers à grains entiers.

Le zinc

Un autre minéral antioxydant qui soutient le système immunitaire. Toutefois, en trop fortes doses (sous forme de suppléments), il peut réduire l'efficacité du système immunitaire.

Les huîtres, les viandes rouges, les fruits de mer, les graines de citrouille et les noix sont les principales sources de zinc.

Le fer

Comme nous l'avons vu, une déficience en fer peut conduire à l'anémie, laquelle affecte les capacités de défense du système immunitaire.

On trouve du fer notamment dans le foie, la viande rouge, les produits céréaliers enrichis et les légumes vert foncé. (Voir aussi les tableaux des pages 12 et 13 pour connaître d'autres sources de fer.)

Y A-T-IL D'AUTRES ALLIÉS POUR MON SYSTÈME IMMUNITAIRE?

Les probiotiques

Ces micro-organismes vivants ont des effets positifs sur la santé en améliorant l'équilibre de la flore intestinale. Les bactéries lactiques, notamment *Lactobacillus casei* et les bifidobactéries, sont des probiotiques.

Chaque souche a son champ d'action. Certaines sont reconnues pour améliorer le transit intestinal; d'autres, pour diminuer les ballonnements et les douleurs associées au côlon irritable. Quant au système immunitaire, les souches *L. reuteri, Saccharomyces boulardii, L. casei, L. plantarum, B. Longum, B. lactis Bb12* semblent prometteuses.

On trouve des probiotiques notamment dans plusieurs yogourts, le lait fermenté et le kéfir. On peut aussi opter pour des suppléments de probiotiques.

L'ail et l'oignon

Ces membres de la famille des liliacées sont utilisés depuis des millénaires comme agents antibactériens et antifongiques. Leurs composantes soufrées seraient responsables de leur action bénéfique sur le système immunitaire.

→ Si introduire l'ail et l'oignon au quotidien vous semble difficile, il suffit de les intégrer à des recettes inspirées du monde entier pour en apprécier la saveur et les bienfaits. Pensez à les ajouter aux soupes, aux sautés, aux sauces tomatées, aux omelettes, etc.

→ Les plus audacieuses parmi vous consommeront une gousse d'ail frais émincé (pour en dégager les composantes actives) chaque jour. Pour rafraîchir ensuite l'haleine, il suffit de croquer dans une tige de persil frais !

 ## Boire mieux

La fatigue et les migraines comptent parmi les signes de déshydratation. On peut donc être fatiguée tout simplement parce qu'on ne boit pas suffisamment. Il faut boire chaque jour au moins 1,5 litre (6 tasses) de liquide (eau, jus, lait, boissons végétales, tisanes).

QU'EN EST-IL DES BOISSONS ALCOOLISÉES ?

Boire de l'alcool avec modération est sain pour le cœur. Par contre, l'alcool nuit à la qualité du sommeil, lequel est indispensable à un bon niveau d'énergie. Au-delà de 1 consommation alcoolisée par jour, le sommeil est déjà affecté. Si votre sommeil est de piètre qualité, il serait bon de penser à limiter votre consommation d'alcool.

→ Jazzez votre eau en y ajoutant des agrumes, des feuilles de menthe ou des tranches de concombre. Une façon facile et agréable d'en boire davantage !

⑥ Manger végé intelligemment

NANCY EST VÉGÉTARIENNE DEPUIS SIX MOIS ET A CESSÉ DE CONSOMMER VIANDES, VOLAILLES ET POISSONS. Elle se concocte de bons repas santé à base de céréales entières et de légumes. Bien qu'elle mange très sainement, elle manque d'énergie. Elle a même dû abandonner ses entraînements hebdomadaires! Son alimentation est-elle en jeu?

Devenir végétarienne, à plein temps ou à temps partiel, peut représenter un atout pour notre santé. Il a été démontré qu'une alimentation riche en produits céréaliers à grains entiers, en fruits et en légumes contient beaucoup de fibres, de folates et d'antioxydants. Mais le végétarisme est un mode de vie qui peut se pratiquer de diverses façons. Peu importe le style choisi, il convient de faire des choix alimentaires intelligents.

Le végétarisme dans tous ses états

Type de végétarisme	Aliments permis
Flexitarisme	Tous.
Semi-végétarisme	Volailles et poissons, œufs, produits laitiers, produits céréaliers, fruits, légumes, noix, graines et légumineuses.
Lacto-ovo-végétarisme	Œufs, produits laitiers, produits céréaliers, fruits, légumes, noix, graines et légumineuses.
Lacto-végétarisme	Produits laitiers, produits céréaliers, fruits, légumes, noix, graines et légumineuses.
Végétalisme	Uniquement des aliments du règne végétal: produits céréaliers, fruits, légumes, noix, graines et légumineuses.

Ce qu'il faut surtout retenir ici, c'est que plus nous excluons de groupes alimentaires de notre alimentation, plus nous nous exposons à des déficiences nutritionnelles. Par exemple, les végétariennes qui rejettent complètement les viandes, les volailles et les poissons ont un taux d'absorption du fer inférieur puisqu'elles ne consomment que du fer non hémique et qu'il n'y a pas présence de viande pour en augmenter l'absorption.

QUELS SONT MES RISQUES DE CARENCE SI J'OPTE
POUR UN RÉGIME VÉGÉTARIEN?

La vitamine B$_{12}$

La vitamine B$_{12}$ des végétaux est présente sous une forme inactive, donc non absorbée. Elle se trouve sous forme naturelle exclusivement dans les produits d'origine animale. Lorsqu'on consomme des produits laitiers, des œufs ou des fromages par exemple, il n'y a pas de souci concernant la vitamine B$_{12}$.

L'alimentation végétalienne stricte, elle, doit toutefois inclure des aliments enrichis en vitamine B$_{12}$ pour subvenir aux besoins quotidiens. Parmi ceux-ci, on trouve les boissons de soya, d'amandes, de riz et de noix d'acajou. Ces boissons végétales enrichies ont aussi l'avantage de renfermer de la vitamine D, un autre élément nutritif important, principalement pour les végétariennes qui ne consomment ni lait ni poisson. Dans la plupart des cas de végétalisme, on conseille la supplémentation en vitamine B$_{12}$.

Le fer

Reportez-vous à l'astuce 1 pour vous assurer de combler vos besoins quotidiens en fer et maximiser son absorption.

Le calcium et la vitamine D

Pour les végétaliennes (qui ont décidé d'exclure les produits laitiers), combler ses besoins en calcium et en vitamine D est ardu. Il faut alors choisir des aliments enrichis en calcium (boissons végétales) ou encore favoriser les légumes et les noix les plus riches en calcium (crucifères, amandes).

Les protéines

Les protéines doivent fournir environ 15 % de l'apport énergétique quotidien. Les personnes qui suivent un régime végétalien doivent s'assurer de consommer suffisamment de légumineuses, de noix et de graines pour remplir leurs besoins sur ce plan. Une alimentation végétarienne équilibrée comble les besoins protéiques grâce à l'incorporation de substituts de la viande. Les protéines végétales étant moins complètes du point de vue des acides aminés (les constituants des protéines), les végétaliennes ont intérêt à manger plusieurs sources de protéines au cours de la journée. Par exemple, elles pourront jumeler les **noix** avec les **légumineuses** pour obtenir des protéines de meilleure qualité. La consommation de protéines complémentaires peut se faire au même repas ou au cours de la journée.

Passez à la cuisine!

Vous trouverez, à la fin de ce livre, des recettes simples et délicieuses qui sont spécialement conçues pour vous procurer un regain d'énergie.

UN BON DÉPART
→ Le smoothie énergisant probio (p. 208)
→ Quinoa matin crémeux (p. 209)

DES DÎNERS LÉGERS MAIS SOUTENANTS
→ Soupe aux pois chiches (p. 213)
→ Salade de lentilles au saumon (p. 215)
→ Salade de jeunes épinards au poulet, clémentines et amandes (p. 216)
→ Salade fraîcheur (p. 217)
→ Sandwich tomate, thon, basilic et ricotta (p. 226)

DES SOUPERS QUI FAVORISENT UN SOMMEIL RÉPARATEUR
→ Sauté de bœuf aux légumes verts (p. 228)
→ Foie de veau à la pomme (p. 231)
→ Morue à l'orange et crumble de noix à l'érable (p. 237)
→ Pâtes à la méditérranéenne (p. 246)
→ Quinoa aux arachides (p. 251)

VOICI UN EXEMPLE DE MENU QUOTIDIEN QUI POURRAIT ÊTRE CONSTRUIT À PARTIR DES RECETTES ÉNERGISANTES:

Ma journée top vitalité

Déjeuner	Collation am	Dîner	Collation pm	Souper	Collation soir
Le smoothie énergisant probio (page 208)	4 craquelins de type Melba + 1 œuf dur	Sandwich, tomate, thon, basilic et ricotta (page 226) + Poivrons rouges + hummus	1 poire + 60 ml (¼ tasse) de fromage cottage	Soupe aux courges + Foie de veau à la pomme avec purée de céleri-rave (page 231)	100 g (format individuel) de yogourt grec nature + 10 ml (2 c. à thé) de miel + 15 ml (1 c. à soupe) de germe de blé

Les astuces de *Josée*

Lorsque je demande aux participants, pendant une conférence, de me nommer les raisons de leur manque de motivation à l'exercice, la fatigue et le manque d'énergie sont assurément au haut de la liste. Combien de fois ai-je entendu des participantes déclarer : « Si je n'étais pas si claquée, je me lèverais et je me remettrais en forme ! »

J'ai souvent senti chez plusieurs femmes que le désir de se prendre en main et de bouger était bien présent... mais que la fatigue remportait toujours cette grande lutte entre le souhait de se remettre en forme et le besoin pressant de se reposer.

Vous serez étonnée d'apprendre que de plus en plus d'experts s'entendent désormais pour dire qu'un des meilleurs antidotes à la fatigue et au manque d'énergie n'est pas de bouger moins, mais, bien au contraire, de bouger plus ! Nous savons maintenant qu'aussitôt qu'on se met à bouger, on ressent un regain d'énergie. Mieux encore, on veut bouger davantage !

Essayez, vous le constaterez par vous-même. Déposez ce livre, puis marchez, grimpez des escaliers ou dansez pendant 3 minutes. L'effet sera immédiat.

Bouger davantage!

Contrairement à une croyance populaire bien enracinée, l'activité physique n'est pas épuisante. Elle donne littéralement plus d'énergie ! Le corps « entend » la demande et s'ajuste pour mieux performer lors du prochain défi. Il s'adapte et devient plus fort peu à peu.

Cela se produit au niveau cellulaire, grâce à un microscopique organe appelé « mitochondrie ». Pour rendre le tout bien simple, disons qu'au fond, ces mitochondries sont de merveilleuses centrales d'énergie.

Une partie de l'énergie que nous produisons provient, bien entendu, de notre alimentation (c'est pourquoi une alimentation trop restrictive ralentit le métabolisme), mais le nombre de mitochondries que nous avons dépend

aussi de notre activité quotidienne. Rappelez-vous que plus vous possédez de mitochondries, plus vous pouvez fabriquer de l'énergie… Le but devient donc bien clair: multiplier ces petites usines que sont les mitochondries.

Comment? En bougeant plus, tout simplement! Par exemple, plus vous ferez d'exercices aérobiques, ou cardiorespiratoires, plus votre corps fabriquera de mitochondries afin de répondre à la demande et de donner plus d'énergie. C'est pour cette raison que l'entraînement cardiovasculaire régulier vous permet de produire plus d'énergie au quotidien.

Dans une étude publiée en 2008 dans la revue *Psychotherapy and Psychosomatics*, des chercheurs de l'Université de la Géorgie aux États-Unis ont démontré que des individus sédentaires se plaignant habituellement de fatigue constante pouvaient augmenter leur niveau d'énergie de 20%, tout en diminuant leur sensation de fatigue de 65%, simplement en participant à des activités régulières à intensité «confortable». Les mêmes chercheurs ont constaté que les fins de journée sont plus agréables et moins épuisantes lorsqu'on a bougé ou simplement marché ce même jour. Alors, comment profiter de toutes ces informations et améliorer concrètement notre niveau d'énergie?

Il faut d'abord comprendre que, même si l'équation semble toute simple, chaque femme se comportera différemment, avec des résultats toujours relatifs à l'intensité, à la quantité et à la durée des activités physiques… mais aussi à sa génétique. Il faut donc bien cibler l'activité que l'on choisit.

Avez-vous une bonne condition physique?

Comment peut-on définir la bonne condition physique? Voici la définition que j'avais notée dans mes cours au baccalauréat. En faisant quelques recherches, je réalise aujourd'hui que cette définition a encore beaucoup de sens.

Avoir une bonne condition physique, c'est être capable de vaquer à ses occupations quotidiennes avec entrain et enthousiasme, tout en ayant suffisamment d'énergie en réserve pour se permettre des moments de loisirs, en plus de réagir positivement à des situations imprévues et exigeantes, autant sur le plan physique qu'émotionnel.

La partie de la définition que j'ai soulignée provient du livre de Richard Chevalier, *À vos marques, prêts, santé!*, et reflète bien la conception moderne d'une bonne condition physique, qui tient compte aussi de l'importance des facteurs psychologiques.

Le niveau d'énergie est donc directement lié à la condition physique d'un individu. C'est pour cette raison que le cercle de la sédentarité devient si vicieux: moins on bouge… et moins on a d'énergie pour bouger. La version positive de cette affirmation est beaucoup plus intéressante: plus on bouge, plus on a d'énergie pour bouger!

Qu'est-ce que le glycogène?

Le glycogène est la source d'énergie requise pour effectuer une activité musculaire à intensité élevée. Il provient des glucides, et est facilement et rapidement disponible pour notre utilisation. Toutefois, si l'entraînement est trop intense et qu'il épuise les réserves de glycogène, on se dirige alors tout droit vers la panne d'énergie. C'est le foie qui contrôle la glycémie sanguine en s'assurant qu'il y a toujours suffisamment de glucides dans le sang.

2 *Cibler la bonne activité et la bonne intensité*

L'entraînement modéré est celui qui répondra le mieux à votre besoin d'améliorer votre niveau d'énergie. Pensez simplement à une marche de 10 ou 20 minutes. Un entraînement très intense, comme une séance de 45 minutes à bonne vitesse sur un tapis roulant, vous fatiguera, du moins pour la période postexercice.

Si vous faites de l'exercice pour l'énergie qu'il vous apportera, vous devez cibler des fréquences cardiaques dans une zone basse, autour de 50 à 60 % de votre intensité maximale. Vous éviterez ainsi de vider toutes vos réserves de glycogène, ce qui aurait pour résultat un sentiment de fatigue intense.

Chez les personnes qui s'entraînent plus rigoureusement, dans une zone de 70 à 85 % de leur intensité maximale, la fatigue ressentie par la suite n'est pas synonyme d'épuisement. Lorsque les muscles ont récupéré, dans les heures qui suivent, il est fort probable qu'elles ressentent un regain d'énergie.

Évidemment, ce qui est modéré pour certains individus peut sembler trop peu à d'autres. Ce sera à vous d'évaluer où se situe la ligne entre un exercice modéré et bienfaiteur, et un exercice trop intense et épuisant, selon, vous l'aurez deviné, votre condition physique.

COMMENT CALCULER MON NIVEAU D'INTENSITÉ MAXIMALE?

Il y a plusieurs façons de contrôler l'intensité d'un entraînement cardiovasculaire, des plus complexes aux plus simples. Prenons ici la formule de Karvonen. Voici comment procéder.

Il faut d'abord obtenir les éléments suivants:

 1- *Votre* FCR (fréquence cardiaque au repos)

Pour obtenir votre FCR, effectuez la manœuvre suivante le matin en vous réveillant doucement:

PLACEZ L'INDEX ET LE MAJEUR sur l'artère radiale (sur la face interne du poignet, du côté du pouce), comptez le nombre de battements pendant 15 secondes et multipliez ce chiffre par 4. Vous obtenez un nombre de battements par minute.

2- *Votre* FCMAX (fréquence cardiaque maximale)

Pour obtenir votre FCMAX, faites le calcul suivant : 220 – votre âge.
PAR EXEMPLE, SI VOUS AVEZ 45 ANS, votre FCMAX est de 175 bpm (battements par minute).

3- *Votre* FCC (fréquence cardiaque cible)

C'est l'intensité à laquelle vous désirez vous entraîner. On recommande normalement une intensité située entre 60 et 85 % de votre intensité maximale.
LE CHOIX DE L'INTENSITÉ dépendra de vos objectifs et de votre capacité. Il est évident qu'un effort à 85 % de son intensité maximale est beaucoup plus exigeant physiquement, mais aussi mentalement, qu'un effort à 60 % de cette intensité.

4- *La formule de* Karvonen !
(FCMAX – FCR) x % CIBLE + FCR =
FCC EN BPM (battements par minute)

Maintenant, sortez votre calculatrice et calculez votre fréquence cardiaque cible à l'aide de la formule suivante :
POUR UNE FEMME DE 45 ANS qui désire s'entraîner à 75 % de sa capacité maximale, et qui aurait un pouls au repos de 80 bpm, le calcul lui donnera une fréquence cardique cible de 151 bpm. Voici son calcul : (175 – 80) x 75 % + 80 = 151 bpm.

QUEL TYPE D'ACTIVITÉ ME REDONNERA DU PEP ?
En plus de la marche, tous les experts s'entendent pour dire qu'il y a d'autres exercices qui vous permettront d'augmenter votre énergie. Le yoga, le pilates et le tai-chi sont parmi les plus efficaces. Ils amélioreront, en plus, votre tonus, votre endurance musculaire, votre équilibre et votre flexibilité. L'important est de choisir des activités d'intensité modérée que vous aimez bien.

Essayez-le

→ Visitez le centre de conditionnement physique ou le centre communautaire près de chez vous pour prendre connaissance des cours en groupe qui pourraient vous intéresser ; prenez rendez-vous pour observer un cours ou l'essayer.

→ Notez votre activité à l'agenda ou au calendrier familial, de façon que vos rendez-vous santé soient bien visibles et respectés.

③ Éviter le surentraînement

À l'opposé des femmes qui manquent de temps et de motivation pour suivre un programme d'exercice régulier, il y a celles qui en font trop: elles s'entraînent à très haute intensité, habituellement tous les jours ou même plus d'une fois au cours de la même journée. On parle alors de surentraînement.

Les entraînements très intenses ne sont pas nécessairement mauvais, au contraire, mais à long terme et sans encadrement, chez les non-athlètes, cette approche peut avoir l'indésirable effet de la panne d'énergie. Le corps n'a pas alors assez de temps pour bien récupérer, ce qui peut devenir dangereux et augmenter les risques de blessures sérieuses, sans compter la fatigue chronique qui peut s'installer.

QUELS SONT LES SIGNES DU SURENTRAÎNEMENT?

Voici quelques symptômes qui peuvent signifier que l'entraînement n'est plus bénéfique à votre santé, car excessif:

→ Fatigue intense et léthargie, spécialement à l'extérieur du centre d'entraînement;
→ Perte de motivation et d'enthousiasme;
→ Perte de libido;
→ Augmentation du stress et de l'anxiété, sentiment de dépression;
→ Insomnie et problèmes de sommeil variés;
→ Faible concentration et hyperactivité;
→ Perte d'appétit;
→ Diminution des performances athlétiques;
→ Variations importantes du poids;
→ Pouls au repos et pression sanguine plus élevés;
→ Maux de tête;
→ Nausées;
→ Diarrhée;
→ Règles irrégulières.

Ce qu'il faut comprendre, c'est que le corps ne devient pas plus fort, plus maigre et en meilleure condition physique PENDANT que vous vous entraînez. C'est lors de la récupération que les changements s'opèrent afin que tous les systèmes s'adaptent et facilitent les prochains entraînements. Alors souvenez-vous que vous avez besoin de ce temps de récupération. C'est un temps de repos nécessaire à la régénération du corps.

À retenir

Rappelez-vous aussi de boire beaucoup d'eau, avant, pendant et après l'entraînement, selon sa durée. La déshydratation est une cause importante de fatigue, alors hydratez-vous régulièrement!

L'entraîneur personnel, par exemple un kinésiologue, est le profession-nel idéal pour vous guider dans cet important équilibre entre les temps d'entraînement et les temps de repos, afin que vous puissiez atteindre sainement vos objectifs.

4 Manger un fruit avant l'activité physique

Indépendamment du type d'exercice que vous choisirez, vous en tirerez encore plus de vitalité si vous mangez un fruit ou une autre collation bien choisie, juste avant de vous lancer. Cette action permettra à votre orga-nisme d'assimiler des nutriments, qui vous procureront à leur tour de l'énergie. Vous aurez ainsi une préparation encore plus adéquate à l'exer-cice, car vous aurez de l'énergie *pendant* et *après* l'effort.

5 Y aller progressivement

Je m'adresse finalement à celles qui, en lisant ces lignes, seraient tentées de répondre : « Oui mais, vraiment, Josée, je t'assure que je n'ai même pas d'énergie pour sortir de la maison et faire une promenade. Je suis com-plètement claquée à la fin de mes journées ! »

Je comprends votre désarroi, mais je vous prie d'au moins essayer de quitter votre canapé, l'espace de quelques instants, et de bouger autour de la maison. Cela suffit déjà pour mettre en branle quelques nouvelles usines d'énergie en vous. Vous serez étonnée de réaliser que vous en voudrez un peu plus au fil des semaines. Donnez-vous du temps… Aug-mentez progressivement la dose et vous constaterez rapidement une dif-férence dans votre quotidien.

À retenir

Consacrer du temps à l'exercice quelques fois par semaine pour refaire le plein d'énergie, c'est comme faire le plein d'essence. Si vous roulez sur l'autoroute et que vous voyez votre réservoir presque vide, vous avez le choix : soit vous poursuivez votre route en espérant arriver à destination avant la panne sèche, soit vous prenez la prochaine sortie et vous faites le plein.

Avec la deuxième option, vous aurez perdu quelques minutes, mais lorsque vous reprendrez la route, vous serez calme et détendue et vous pourrez vous concentrer sur autre chose que la petite aiguille qui vous faisait craindre la panne.

Pensez à une personne qui pourrait ajouter à votre motivation en vous accompagnant dans votre démarche santé et impliquez-la dans vos nouvelles résolutions.

Passez à l'action!

VOTRE PROGRAMME DE MARCHE ÉNERGISANTE

Le programme de marche que je vous propose saura augmenter votre niveau d'énergie de façon appréciable. Il est simple et contient quelques petites variantes sur le plan de l'intensité de manière à surcharger juste un brin votre système cardiorespiratoire. Ainsi, en plus de vous donner de l'énergie, ce programme contribuera à améliorer votre capacité aérobique.

Assurez-vous de respecter une intensité qui vous convient : vous devez être essoufflée, mais tout de même capable de parler. Ce qu'il faut éviter, c'est que l'activité soit désagréable ou difficile. Vous ne devez jamais avoir l'impression de manquer de souffle. Autrement dit, l'effort doit être présent, mais pas surhumain !

Semaine 1

Fréquence : 3 ou 4 jours par semaine.
Intensité : vous êtes légèrement essoufflée, mais capable de discuter.
Durée : 20 minutes.

<u>Complétez 2 cycles de 10 minutes</u>

Marche	→	9 min
Marche plus rapide	→	1 min
Marche	→	9 min
Marche plus rapide	→	1 min

Semaine 2

Fréquence : 3 ou 4 jours par semaine.
Intensité : vous êtes légèrement essoufflée, mais capable de discuter.
Durée : 24 minutes.

<u>Complétez 2 cycles de 12 minutes</u>

Marche	→	10 min
Marche plus rapide	→	2 min
Marche	→	10 min
Marche plus rapide	→	2 min

Essayez-le

Pour établir votre nouveau programme, inscrivez immédiatement des « espaces entraînement » à votre agenda ou sur votre calendrier. Placez-les bien à la vue et respectez ces rendez-vous... Ils sont tout aussi précieux que n'importe quel autre engagement à votre agenda. Votre santé et votre vitalité ne devraient-elles pas passer avant toute chose ?

Semaine 3

Fréquence : 4 jours par semaine.
Intensité : vous êtes de légèrement à moyennement essouflée, vous pouvez discuter mais avec un essoufflement perceptible dans la voix.
Durée : 24 minutes.

Complétez 2 cycles de 12 minutes

Marche	→	9 min
Marche plus rapide	→	3 min
Marche	→	9 min
Marche plus rapide	→	3 min

Semaine 4

Fréquence : 4 jours par semaine.
Intensité : vous êtes de légèrement à moyennement essouflée, vous pouvez discuter mais avec un essoufflement perceptible dans la voix.
Durée : 24 minutes.

Complétez 2 cycles de 12 minutes

Marche	→	8 min
Marche plus rapide	→	4 min
Marche	→	8 min
Marche plus rapide	→	4 min

Semaine 5

Fréquence : 4 jours par semaine.
Intensité : vous êtes de légèrement à moyennement essouflée, vous pouvez discuter mais avec un essoufflement perceptible dans la voix.
Durée : 27 minutes.

Complétez 3 cycles de 9 minutes

Marche	→	7 min
Marche plus rapide	→	2 min
Marche	→	7 min
Marche plus rapide	→	2 min
Marche	→	7 min
Marche plus rapide	→	2 min

Semaine 6

Fréquence : 4 ou 5 jours par semaine.
Intensité : vous êtes de légèrement à moyennement essouflée, vous pouvez discuter mais avec un essoufflement perceptible dans la voix. Si vous ressentez le besoin ou l'envie d'augmenter l'intensité, allez-y sans crainte !
Durée : 27 minutes.

Complétez 3 cycles de 9 minutes

Marche	→	6 min
Marche plus rapide	→	3 min
Marche	→	6 min
Marche plus rapide	→	3 min
Marche	→	6 min
Marche plus rapide	→	3 min

Semaine 7

Fréquence : 5 jours par semaine.
Intensité : vous êtes moyennement essouflée, mais cela demeure confortable. Cherchez à obtenir un essoufflement sans vous sentir à bout de souffle.
Durée : 30 minutes.

Complétez 3 cycles de 10 minutes

Marche	→	6 min
Marche plus rapide	→	4 min
Marche	→	6 min
Marche plus rapide	→	4 min
Marche	→	6 min
Marche plus rapide	→	4 min

Semaine 8

Fréquence : 5 jours par semaine.
Intensité : vous êtes moyennement essouflée, mais cela demeure confortable. Cherchez à obtenir un essoufflement sans vous sentir à bout de souffle.
Durée : 30 minutes.

Complétez 3 cycles de 10 minutes

Marche	→	5 min
Marche plus rapide	→	5 min
Marche	→	5 min
Marche plus rapide	→	5 min
Marche	→	5 min
Marche plus rapide	→	5 min

Semaines suivantes

Vous pouvez poursuivre les cycles en modifiant un élément à la fois : soit le temps, soit le nombre de jours.

Vous pouvez aussi augmenter la durée de la marche plus rapide, par rapport à la durée de la marche standard.

Souvenez-vous du but ultime de ce programme : améliorer votre vitalité. La performance n'est absolument pas visée ; privilégiez plutôt l'agrément. C'est ce qui vous donnera envie de répéter votre entraînement, et c'est ce qui vous redonnera le sourire !

Les étirements

Après votre marche, prenez 5 minutes pour faire les étirements suivants et maintenez-les pour un minimum de 30 secondes chacun.

Mollets : Les mains en appui contre un mur, allongez la jambe droite vers l'arrière et poussez le talon droit contre le sol en maintenant la jambe totalement allongée. Répétez de l'autre côté.

Fléchisseurs de la hanche : Placez votre genou droit sur un tapis ou une serviette et placez votre pied gauche au moins 30 cm (12 po) devant. Pressez vos hanches vers l'avant et déplacez le poids de votre corps vers votre hanche. Répétez de l'autre côté.

Ischio-jambiers : Placez-vous face à un mur en gardant une distance d'environ 60 à 90 cm (2 à 3 pi). Vos pieds sont à environ 15 cm (6 po) de distance. Fléchissez le tronc et placez vos mains sur le mur de façon à avoir les bras en extension complète. Faites un pont avec un dos droit et plat, parallèle au sol.

VOTRE PROGRAMME MUSCU-ÉNERGIE

Voici un programme de renforcement musculaire qui porte plusieurs merveilleux «chapeaux».

D'abord, vous l'aurez deviné, il contribuera à votre tonus général et à votre endurance musculaire. Il vous permettra de renforcer tous vos muscles stabilisateurs et vous aidera à obtenir une meilleure posture.

De plus, les exercices sélectionnés dans ce programme ont un attrait supplémentaire: ils sont tous particulièrement efficaces pour favoriser une augmentation de l'énergie et de la concentration.

Nicole Bordeleau, maître en yoga et auteure, confirme que plusieurs des positions présentées dans les exercices suivants favorisent une meilleure circulation sanguine et accroissent le métabolisme. Ils facilitent aussi la digestion et aident à prévenir la constipation, deux éléments fortement liés aux pannes d'énergie.

En outre, les exercices qui suggèrent des positions en équilibre stimulent le système nerveux. La position en équilibre centre l'attention qui, au lieu de se disperser, se focalise sur un point d'ancrage, ce qui procure une sensation d'énergie physique et mentale. «À la sortie de la posture, affirme Nicole Bordeleau, on ressent une sensation de liberté.»

En plus d'améliorer les fonctions biologiques et la concentration, ces exercices procurent une sensation de calme intérieur.

Vous pouvez les faire aux deux jours sans problème. Faites-les lentement, en respirant profondément et en contrôlant vos mouvements. Prenez votre temps et sentez le travail d'endurance et de positionnement que chaque posture propose. Vous pouvez faire une seule série, mais faites les enchaînements en demeurant consciente de chacune des étapes.

Si vous faites le programme de marche ou tout autre programme cardiorespiratoire, vous pouvez ajouter ces exercices à votre entraînement.

Fentes larges

Muscles ciblés: Les fessiers (abducteurs) et les adducteurs (intérieur de la cuisse).

Position de départ: Tenez-vous bien droite, en plaçant les pieds plus larges que les épaules, les bras de chaque côté du corps.

1. Transférez le poids sur la jambe droite en pliant le genou à 90 degrés pour faire une fente profonde.
   Les épaules sont en avant, le tronc est incliné et les bras sont pliés de chaque côté. Le bras gauche est devant vous et le bras droit est plié vers l'arrière.
2. Transférez ainsi votre poids d'un côté à l'autre, de façon très dynamique, en balançant fortement les bras de l'avant à l'arrière lorsque vous changez de jambe.

Faites 8 à 12 répétitions de chaque côté.

 Planche latérale

Muscles ciblés: Tous les muscles stabilisateurs, les muscles des épaules et des bras, les abdominaux et les dorsaux.

Position de départ: Placez-vous en position de planche en appui sur les mains et les pieds OU sur les mains et les genoux.

1. Maintenez la planche 4 secondes.
2. Tournez-vous d'un côté en ouvrant le bras vers le haut et en regardant votre main (vous êtes en appui sur votre pied OU sur votre genou, selon votre position de départ). Gardez cette position 4 secondes.
3. Revenez en position de départ, et maintenez 4 secondes.
4. Tournez-vous de l'autre côté en ouvrant le bras vers le haut et en regardant votre main. Restez 4 secondes.

Essayez de faire de 6 à 8 répétitions de chaque côté.

3 Flexion / extension

Muscles ciblés: Tous les muscles stabilisateurs, les fessiers et les muscles du dos.

Position de départ: Placez votre poids sur la jambe gauche, le genou légèrement fléchi.

1. Tirez le genou droit vers le tronc en comprimant les abdominaux; vos bras aussi sont serrés sur vous, coudes fléchis, tête légèrement inclinée.
2. De cette position «fermée», vous allez «ouvrir»: allongez la jambe droite vers l'arrière, et le tronc et les bras vers l'avant. Votre jambe, votre tronc et vos bras forment une ligne droite, parallèle au sol.

Faites 8 à 12 répétitions du même côté, puis inversez.

4 Fente avant avec rotation

Muscles ciblés: Tous les muscles stabilisateurs, les fessiers et les muscles des cuisses.

Position de départ: Tenez-vous bien droite, pieds joints, mains jointes devant la poitrine.

1. Faites une grande fente devant vous en allongeant les bras à la hauteur des épaules.
2. Faites une rotation des épaules et du tronc en pointant les bras du côté de la jambe avant.
3. Revenez au centre à la position n° 1.
4. Poussez sur le pied avant pour remonter à la position de départ.

Faites 8 à 12 répétitions consécutives du même côté, puis répétez avec l'autre jambe.

5 Planches-pompes

Muscles ciblés : Tous les muscles stabilisateurs.

Position de départ : Prenez la position de la planche en appui sur les mains et les pieds OU en appui sur les mains et les genoux.

Faites lentement l'enchaînement suivant, en maintenant chaque transition 2 à 3 secondes :

a) Maintenez la planche.
b) Déposez le coude droit au sol.
c) Déposez le coude gauche au sol.
d) Allongez le bras droit.
e) Allongez le bras gauche.

Faites cet enchaînement de 6 à 12 fois, si possible.

ATTENTION !
Cet exercice est plus exigeant que les précédents.

a)

b)

c)

d)

e)

Abdos en équilibre

Muscles ciblés : Les abdominaux et les fléchisseurs des hanches.

Position de départ : En équilibre sur les fesses, les abdominaux engagés ; les mains sont sous les cuisses et les mollets sont parallèles au sol, ou presque.

1. En gardant l'équilibre sur les fesses, ouvrez les bras et maintenez cette position de 5 à 10 secondes, puis revenez à la position de départ.
2. Si vous le désirez, modifiez la position en déposant un pied au sol, afin d'y placer une partie de votre poids.

Répétez 6 fois, si possible.

Le pouvoir de la torsion

UN EXERCICE PROPOSÉ PAR
NICOLE BORDELEAU, MAÎTRE EN YOGA

En yoga, l'âge de notre corps est déterminé par la vitalité de notre colonne vertébrale. Si notre colonne est longue, souple et mobile, peu importe notre âge biologique, notre corps se sent plus fort et nous paraissons plus jeunes !

ATTENTION : **ne faites pas cette posture si vous avez une hernie ou si vous êtes enceinte.**

1. Asseyez-vous au sol, les jambes tendues et le dos droit.
2. Levez le pied droit et posez-le à l'extérieur du genou gauche.
3. Saisissez le tibia gauche de vos mains afin d'étirer la colonne vertébrale.
4. Posez la main droite sur le sol derrière vous et entourez le genou droit avec votre coude gauche.
5. Inspirez et, en expirant, faites une torsion du buste vers la droite.
6. Maintenez la posture pendant 3 à 5 respirations, puis revenez à la position de départ.

Répétez de l'autre côté.

Bon à savoir

Cet exercice procure de nombreux bienfaits : il peut soulager la nuque, éliminer les raideurs du dos et des épaules, stimuler le système respiratoire, procurer un massage de l'abdomen, affiner la taille, améliorer le maintien et déstresser le corps de façon générale.

CHAPITRE 2

Le marathon du quotidien

Les astuces

d'Isabelle

Le défi du temps touche bien des femmes. En consultation privée, plusieurs d'entre elles se confient sur leur difficulté à concilier travail et famille, tout en accordant suffisamment de temps à la planification des repas.

Outre la fatigue, qui est souvent au rendez-vous, bien des femmes manquent d'inspiration pour les repas. Elles sont plusieurs à courir sans cesse, n'arrivant pas à réaliser des dîners et des soupers santé avec leur horaire chargé. En plus, elles affichent un sentiment de culpabilité si elles se tournent vers le service de livraison ou le repas prêt-à-manger du commerce!

Il est vrai que la pression est grande: performer au travail, consacrer du temps de qualité aux enfants, conserver l'harmonie dans son couple et veiller à la santé de toute la famille. Pas étonnant que plusieurs femmes se sentent dépassées par autant de défis!

Qu'à cela ne tienne, il suffit d'être bien organisée pour avoir des habitudes alimentaires saines. Voici mes astuces!

1 Organiser son menu de la semaine

Pour bien manger malgré un horaire chargé, rien ne vaut l'organisation. Il faut en tout temps avoir sous la main des aliments incontournables qui peuvent nous inspirer un repas express et nous aider à composer les menus de la semaine.

Voici quelques trucs pour être mieux organisée la semaine:

→ Le week-end venu, feuilletez les circulaires des supermarchés et planifiez votre menu de la semaine en misant sur les promotions et les aliments de saison.
→ Consultez différents sites Web afin de trouver des recettes express qui demandent moins de 30 minutes de préparation.
→ Cuisinez en grande quantité soupes, mijotés, lasagnes, muffins, etc. Congelez le tout en portions individuelles ou familiales.

→ Doublez les recettes pour conserver une portion pour le dîner du lendemain.

→ Lavez et préparez à l'avance les fruits : équeutez les fraises, coupez le cantaloup en cubes, lavez les bleuets et les raisins, tranchez l'ananas, etc.

→ Faites de même avec les légumes : lavez et coupez les poivrons en lanières, épluchez les carottes, coupez les concombres en rondelles, préparez les fleurets de brocoli, etc. Ces crudités calmeront la faim au moment du retour à la maison et elles pourront compléter quelques dîners de la semaine.

→ Divisez à l'avance les collations en portions. Par exemple, vous pouvez préparer de petits sacs de noix et de fruits séchés, couper le fromage en portions de 30 g (1 oz), préparer quelques sacs de craquelins de grains entiers (4 craquelins par portion), etc.

→ Râpez le fromage et congelez-en une partie pour utilisation future. Ce sera pratique pour confectionner plus rapidement vos gratins, vos lasagnes, etc.

→ Coupez les bagels en deux et congelez-les.

→ Faites griller des bâtonnets d'amandes et conservez-les dans un contenant hermétique.

→ Partagez la confection des dîners avec une collègue de bureau. Par exemple, vous pouvez être responsable des dîners du lundi et du mercredi, alors que votre collègue s'occupera de ceux du mardi et du jeudi.

 ## Faire les courses intelligemment

Voici quelques trucs qui vous feront gagner du temps à l'épicerie :

→ Allez au supermarché une fois par semaine seulement.

→ Avant de vous y rendre, faites une liste et respectez-la.

→ Dressez votre liste d'épicerie dans un ordre qui correspond à celui des allées de votre supermarché.

→ Évitez les allées où se trouvent les « tentations » (croustilles, bonbons, etc.) qui nous appellent lorsqu'on a une fringale.

→ Choisissez le bon moment pour faire les courses. Idéalement, n'y allez pas après le boulot lorsque vous avez l'estomac dans les talons et que la queue à la caisse est longue.

→ Passez aux caisses libre-service. Mieux encore, profitez des services de commande en ligne ou de livraison à domicile.

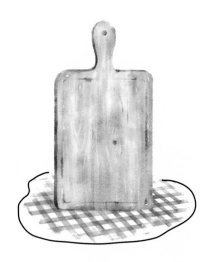

 ## Trouver des raccourcis en cuisine

Il existe de nombreuses façons d'accélérer la préparation du souper. En voici quelques-unes :

→ Achetez des légumes précoupés (mélange à spaghetti et à soupe, courge déjà en cubes, carottes râpées, etc.).

→ Conservez toujours des légumes surgelés qui sont prêts à cuire.

→ Privilégiez le couscous, le riz et le quinoa qui cuisent rapidement.

→ Prévoyez un repas de pâtes chaque semaine. Cuites en quelques minutes, les pâtes sont tellement polyvalentes qu'il est facile d'improviser des recettes en toute simplicité.

→ Tranchez les viandes en lanières ou en cubes et faites-les sauter ; elles cuiront beaucoup plus rapidement ainsi.

→ Évitez les sauces qui demandent trop de temps de préparation ; favorisez les sauces-minute (pesto congelé, sauce tomate congelée, jus de citron, etc.).

→ Si vous avez un conjoint ou des enfants, mettez-les à contribution dans la préparation des repas en leur attribuant des tâches précises.

 ## Se procurer les indispensables

Pour cuisiner santé quand on manque de temps, il faut avoir en tout temps sous la main des aliments qui permettent de composer un repas express bien équilibré.

Les aliments à conserver en tout temps

	Garde-manger	Réfrigérateur	Congélateur
Légumes et fruits	Légumes et fruits en conserve (sans sel et/ou sucre ajouté)	Légumes et fruits frais	Légumes et fruits congelés
	Tomates en conserve, sauce ou concentré de tomates	Jus de légumes et de fruits	Bananes mûres congelées
	Fruits séchés		
	Compotes de fruits sans sucre ajouté		
Produits céréaliers	Pâtes, riz, couscous, quinoa, orge, millet (grains entiers)	Pain tranché	Pâtes ou riz cuits Pain tranché
	Céréales froides et chaudes (gruau, crème de blé)	Bagels, muffins anglais, pitas ou tortillas	Bagels, muffins anglais, pitas ou tortillas
	Farines blanche et de grains entiers (blé, sarrasin, avoine, etc.)		Muffins ou galettes maison

	Garde-manger	Réfrigérateur	Congélateur
Lait et substituts	Lait en poudre ou UHT (Grand-Pré)	Lait	Lait ou yogourt grec glacés
	Boissons végétales (soya, amandes ou riz)	Yogourt	Yogourts à boire (en tube) congelés
	Pouding de soya	Fromage	Fromage ferme, entier ou râpé
Viande et substituts	Poissons en conserve (thon, saumon, sardines)	Viandes, volailles et poissons frais et cuits	Viandes, volailles et poissons
		Œufs frais et durs	
	Légumineuses en conserve	Tofu, ferme et soyeux	Noix et graines
	Noix et graines	Charcuteries faibles en sel et en gras, sans nitrites (jambon ou dinde)	
	Beurre de noix		
Autres	Huiles végétales	Graines de lin* ou de chia	Graines de lin*
	Vinaigres	Mayonnaise	Plats cuisinés, conservés en portions individuelles
	Sirop d'érable, miel	Hummus	
	Sucre, cassonade	Moutarde	Sauce aux tomates ou à spaghetti maison
	Sauce soya	Salsa	Fines herbes hachées
	Épices	Pesto maison ou du commerce	
	Bouillons du commerce faibles en sel ou sans sel ajouté	Beurre ou margarine	Bouillons maison
	Fécule de maïs	Bicarbonate de soude	
	Poudre à pâte		

* La graine de lin s'oxyde rapidement. Pour optimiser sa fraîcheur, on peut la conserver au congélateur (moulue ou non).

⑤ Prévoir une journée « popote »

Il existe plusieurs cuisines collectives au Québec. Certaines s'adressent à tous, d'autres visent plutôt les gens ayant un problème de santé précis, le diabète par exemple. Ces regroupements permettent d'établir des rapports sociaux tout en économisant du temps et de l'argent. C'est aussi l'occasion de découvrir de nouvelles recettes.

Que ce soit dans une cuisine collective ou encore avec des collègues de bureau ou des amies, popoter en groupe est une activité ludique. Prévoyez une journée par mois pour cuisiner en grande quantité: c'est un moment qui conjugue plaisir et utilité.

Voici des exemples de recettes que l'on a tout avantage à préparer d'avance, car elles peuvent se conserver plusieurs mois au congélateur :

→ Soupe ou potage aux légumes ;
→ Soupe-repas (par exemple bœuf et orge, lentilles et légumes ou poulet et riz) ;
→ Sauce aux tomates ;
→ Sauce à la viande (spaghetti, bolognaise) ;
→ Chili avec ou sans viande ;
→ Pesto maison ;
→ Boulettes (ou galettes) de poisson, de viande ou de volaille ;
→ Lanières de poulet panées (sans friture) ;

→ Pain de viande ;
→ Jambon cuit, poulet rôti ou rôti de bœuf, divisés en portions individuelles ou familiales ;
→ Mijoté de viande, de volaille ou de légumineuses (par exemple du bœuf bourguignon) ;
→ Lasagne ;
→ Pâté à la viande ou au saumon ;
→ Pâté chinois ou Parmentier ;

→ Galettes ou croquettes de poisson, de poulet ou de légumineuses (lentilles, pois chiches, haricots) ;
→ Brochettes de poulet ou de crevettes ;
→ Dumplings au porc ou aux crevettes ;
→ Quiche ;
→ Muffins santé ;
→ Biscuits santé ;
→ Pains desserts (courge, noix, banane, etc.) ;
→ Carrés aux dattes, aux framboises, etc.

Voici, à titre d'exemple, quelques recettes simples qui sont des valeurs sûres à conserver dans votre congélateur.

Muffins à l'avoine et aux canneberges

DONNE 12 MUFFINS

VALEUR NUTRITIVE PAR MUFFIN
CALORIES : 220 **PROTÉINES :** 5 g **GLUCIDES :** 32 g **LIPIDES :** 8 g **FIBRES :** 2 g **CALCIUM :** 8 % **FER :** 10 %

Ingrédients

250 ml (1 tasse) de farine de blé entier
250 ml (1 tasse) de flocons d'avoine
10 ml (2 c. à thé) de poudre à pâte
2,5 ml (½ c. à thé) de sel
1 œuf moyen
125 ml (½ tasse) de lait

125 ml (½ tasse) de yogourt grec nature 0 % m.g.
60 ml (¼ tasse) d'huile de canola
125 ml (½ tasse) de sirop d'érable
180 ml (¾ tasse) de canneberges séchées (ou raisins blonds)
125 ml (½ tasse) de noix de Grenoble (ou pacanes), hachées

Préparation

1- Préchauffer le four à 180 °C (350 °F).
2- Dans un bol, mélanger la farine, les flocons d'avoine, la poudre à pâte et le sel.
3- Dans un autre bol, battre légèrement l'œuf. Ajouter le lait, le yogourt, l'huile et le sirop d'érable. Incorporer ce mélange aux ingrédients secs. Ajouter les canneberges et les noix. Mélanger.
4- Insérer des caissettes en papier dans les 12 compartiments d'un moule à muffins et y répartir la préparation.
5- Cuire au four 25 minutes ou jusqu'à ce qu'un cure-dent inséré au milieu du muffin en ressorte propre. Laisser tiédir 5 minutes et démouler.

Pesto aux amandes

DONNE: 160 ML (⅔ TASSE)

VALEUR NUTRITIVE POUR 15 ML (1 C. À SOUPE)
CALORIES: 130 **PROTÉINES:** 2 g **GLUCIDES:** 1 g **LIPIDES:** 13 g **FIBRES:** 1 g **CALCIUM:** 4 % **FER:** 4 %

Ingrédients

500 ml (2 tasses) de basilic frais
125 ml (½ tasse) d'huile d'olive
1 grosse gousse d'ail, coupée en deux

60 ml (¼ tasse) d'amandes
   (ou avelines ou noix de Grenoble)
60 ml (¼ tasse) de parmesan râpé (20 % m.g.)

Préparation

1- Dans un robot culinaire ou un mélangeur électrique, réduire en purée tous les ingrédients.

2- Répartir le pesto dans des bacs à glaçons et le congeler en portions pour une utilisation ultérieure.

Sauce à spaghetti aux lentilles

DONNE: 2,5 LITRES (10 TASSES)

VALEUR NUTRITIVE POUR 250 ML (1 TASSE)
CALORIES: 120 **PROTÉINES:** 4 g **GLUCIDES:** 22 g **LIPIDES:** 2 g **FIBRES:** 5 g **CALCIUM:** 6 % **FER:** 15 %

Ingrédients

15 ml (1 c. à soupe) d'huile d'olive
½ oignon, émincé
2 gousses d'ail, émincées
1 grosse courgette, coupée en petits dés
1 grosse carotte, coupée en dés
2 branches de céleri, coupées en dés
2 boîtes de 796 ml (28 oz) de tomates broyées

500 ml (2 tasses) de jus de tomate
10 ml (2 c. à thé) de sucre
250 ml (1 tasse) de lentilles vertes séchées, bien rincées
Au goût, flocons de piment, origan séché, sel et poivre

Préparation

1- Dans une grande casserole, chauffer l'huile à intensité moyenne-élevée et faire revenir l'oignon et l'ail. Ajouter la courgette, la carotte et le céleri et faire rissoler 2 minutes.

2- Incorporer les tomates et le jus de tomate. Amener à ébullition, puis ajouter le sucre et les lentilles. Assaisonner généreusement.

3- Réduire le feu à moyen-faible et laisser mijoter 45 minutes mi-couvert.

Si vous le souhaitez, vous pouvez passer le tout au mélangeur pour une sauce plus lisse qui pourra servir à plusieurs préparations culinaires.

6 Faire de bons choix à l'extérieur de la maison

Avec un rythme de vie bien actif, nous sommes souvent exposées à manger sur le pouce. Que ce soit à l'heure de la collation ou pour un repas, la nourriture est accessible partout. L'essentiel est de faire des choix judicieux. Voici mes recommandations sur ce plan.

AU DÉPANNEUR

On évite : les croustilles, les bonbons, les boissons gazeuses ou énergisantes, les friandises chocolatées, les barbotines et les laits frappés, les muffins et les galettes.

On opte pour : les mélanges de noix, les berlingots de lait, les jus de légumes, les yogourts et fromages vendus en format individuel, les purées de fruits. Certains dépanneurs proposent même des œufs durs, des fruits frais et des crudités prêtes à manger.

Une envie tenace de sucre ? Laissez-vous tenter par un ou deux morceaux de chocolat noir 70 %. Une délicieuse dose d'antioxydants et de plaisir !

AU CAFÉ DU COIN

On évite : les cafés aromatisés (qui contiennent un sirop sucré) et l'ajout de crème fouettée. On tente aussi d'éviter la viennoiserie qui accompagne le café.

On opte pour : un café au lait (fait de lait à 2 % et moins de matières grasses) ou à base de boisson de soya enrichie. Un cappuccino, un thé vert, rouge ou noir ou une tisane constituent tous de bons choix.

Envie d'un petit quelque chose pour accompagner le café ou le thé ? Mieux vaut opter pour la mini-portion de biscotti ou le petit carré de chocolat. Plusieurs cafés offrent aussi des coupes de yogourt accompagné de fruits.

À L'ARÉNA, LES WEEK-ENDS DE MATCH

On évite : le burger, le hot-dog, les frites et la poutine.

On opte pour : le wrap au poulet, les pâtes à la sauce tomatée, le chili, la soupe et le jus sans sucre ajouté.

AU CINÉMA

On évite : les friandises chocolatées ou sucrées, les croustilles, les gros formats de maïs éclaté, les boissons gazeuses.

On opte pour : le petit format de maïs éclaté (sans ajout de beurre) et la bouteille d'eau.

Accordez-vous au repas le temps nécessaire?

Vous avalez votre bol de céréales rapidement sur le coin du comptoir le matin? Vous mangez rapidement votre dîner devant l'ordinateur le midi ou vous prenez une barre substitut de repas au volant de votre voiture? Croyez-moi, c'est fréquent. Plusieurs des femmes que je rencontre dans mon cabinet me confient vivre cette situation. En mangeant aussi rapidement, il se produit deux choses:

1. Vous n'êtes pas à l'écoute de vos signaux de faim et de satiété. Conséquence: vous risquez de gagner du poids plus facilement.
2. Vous ne mastiquez pas suffisamment. Conséquence: vous pourriez souffrir davantage de troubles digestifs, notamment de ballonnements.

Prendre le temps, ne serait-ce que 15 minutes le matin et 20 minutes le midi, de s'asseoir et de bien mastiquer son repas fera toute la différence, tant pour son tour de taille que pour son «confort digestif».

Vous manquez de temps? Fractionnez votre dîner de façon à en manger une partie vers midi (crudités et demi-sandwich) et une seconde partie dans la première pause d'après-midi. Obligez-vous à vous arrêter, une habitude qui vous fera le plus grand bien, tant physiquement que mentalement.

DEVANT LA MACHINE DISTRIBUTRICE

On évite: les gros biscuits, les friandises chocolatées, les bonbons, les cocktails de fruits et les boissons gazeuses (diètes et régulières), les grignotines salées.

On opte pour: les mélanges de noix et de fruits séchés, les barres tendres santé, le lait, les yogourts à boire, le fromage, le jus de légumes.

LES BONS CHOIX AU RESTO

Manger au restaurant peut sembler un bon dépanneur si le temps nous manque pour cuisiner. Or, cette habitude peut rapidement faire grimper le poids sur la balance si on ne fait pas les bons choix. Voici mes conseils:

→ Optez pour les salades-repas. Pour en faire un choix santé, évitez la salade César et assurez-vous d'un bon apport en protéines (thon, poulet, œufs, tofu, légumineuses, etc.).
→ Prenez une soupe ou une salade en entrée; vous vous sentirez moins affamée pour le plat principal et mangerez moins vite.
→ À l'heure du dîner, pour éviter de roupiller en après-midi, évitez les grosses portions de pâtes, le risotto ou les autres plats riches en glucides. Priorisez plutôt la protéine maigre, la portion modérée de féculents et les légumes colorés.
→ Choisissez des accompagnements santé comme la pomme de terre au four ou le riz, plutôt que les frites.

→ Évitez la corbeille de pain dans tous les cas, sauf si vous avez commandé une salade sans féculent.

→ Les portions dans les restaurants sont généralement très grosses. Mangez lentement et arrêtez dès que vous êtes rassasiée.

→ Terminez le repas par un cappuccino ou un thé vert, plutôt que par un dessert.

Bien sélectionner les produits prêt-à-manger

DANIELLE EST AVOCATE ET MAMAN DE DEUX ENFANTS EN BAS ÂGE. Malgré son travail exigeant, elle souhaite rentrer du boulot tôt pour s'occuper de ses petits. Le midi, elle a du mal à manger de façon saine et équilibrée. Souvent, pour gagner du temps, elle réchauffe au micro-ondes un plat surgelé, qu'elle mange devant son ordinateur. Le soir venu, après avoir récupéré les enfants à la garderie, elle manque souvent d'idées pour composer un repas santé. Parfois, elle se résigne à sortir une pizza du congélateur ou à réchauffer un plat précuisiné acheté à l'épicerie. Son défi principal? Le peu de temps pour composer des repas sains qui plairont à toute la famille.

Pressées par le temps, beaucoup de femmes substituent les préparations maison par des mets surgelés ou précuisinés à l'épicerie, prêts à réchauffer en quelques minutes au micro-ondes. Idéal pour un dîner rapide, ils sont aussi pratiques pour un souper léger. Même s'ils ne remplaceront jamais un bon repas concocté à domicile, ils sont de précieux alliés pour toutes celles qui courent après le temps.

Difficile pourtant de faire un choix parmi les nombreuses variétés offertes par les compagnies qui se disputent un marché en croissance. Voici trois étapes pour bien choisir:

PREMIÈRE ÉTAPE: VÉRIFIER L'INFORMATION NUTRITIONNELLE
D'abord, partons du principe que pour remplacer un dîner maison, le repas surgelé doit fournir suffisamment d'énergie, de glucides et de protéines. Il doit contenir une teneur modérée en sodium et en gras.

DEUXIÈME ÉTAPE: VÉRIFIER LES INGRÉDIENTS
Dans la mesure du possible, on évite ces ingrédients, qui figurent sur plusieurs emballages: glutamate monosodique (MSG), caramel, shortening d'huile végétale, huile partiellement hydrogénée, additifs, stabilisateurs et conservateurs. On opte pour le repas proposant les ingrédients les plus sains.

Bon à savoir

Votre repas surgelé devrait contenir:

≥ 14 g de protéines;

≤ 10 g de matières grasses;

≤ 600 mg de sodium;

≥ 4 g de fibres.

Bon à savoir

Le poulet rôti prêt-à-manger…
et pourquoi pas?

Parmi les autres options prêt-à-manger populaires, il y a le poulet rôti. Vous pouvez l'accompagner de riz et d'une belle salade pour en faire un repas complet. Pour épargner quelques grammes de gras, évitez de manger la peau et d'arroser votre portion de sauce.

La vérité sur les pizzas surgelées

Constituées de pâte, de légumes, de fromages et de quelques protéines, les pizzas comportent souvent les quatre groupes du *Guide alimentaire canadien*. Souvent plus grasses qu'un repas concocté maison, elles fournissent néanmoins suffisamment de protéines pour bien nous rassasier. Grâce au fromage, la plupart contiennent un apport intéressant en calcium. Garnies de tomates et d'autres légumes, les pizzas fournissent quelques vitamines, du potassium et des fibres.

Toutefois, les portions consommées sont souvent trop grosses (une seule pointe suffit) et les choix gagnants sont souvent constitués des garnitures les plus simples.

Si on ajuste la portion à 200 g (env. 7 oz), soit environ ½ pizza à croûte mince de 28 cm (11 po), la plupart des pizzas contiennent:

→ environ de 400 à 500 calories;
→ suffisamment de protéines (le plus souvent entre 15 et 25 g);
→ environ 45 à 60 g de glucides (l'équivalent de 3 à 4 tranches de pain);
→ de 10 à 30 g de gras (3 à 7 carrés de matières grasses par portion);
→ beaucoup de sodium! Plusieurs pizzas fourniront à elles seules plus de la moitié de l'apport nutritionnel recommandé par jour.

Les meilleurs choix (pour une portion de 200 g / env. 7 oz) répondront aux critères suivants:

→ Ne contiennent ni shortening ni huile partiellement hydrogénée;
→ Sont constitués de blé entier ou ont une croûte à base de blé entier;
→ N'ont pas de garniture de pepperoni, de salami ou d'autres charcuteries;
→ Sont à croûte mince;
→ Apportent au moins 14 g de protéines;
→ Fournissent au plus 10 g de gras;
→ Apportent 2 g de fibres ou plus;
→ Contiennent 600 mg de sodium ou moins.

Essayez la pizza express sur pain pita (voir page 249), une recette presque aussi rapide et tellement plus saine!

**TROISIÈME ÉTAPE: SAVOIR COMPLÉTER POUR CRÉER
UN REPAS ÉQUILIBRÉ**

Si votre repas choisi est peu calorique, vous risquez de ressentir la faim peu longtemps après. Dans le but de mieux vous rassasier et d'augmenter la valeur nutritive de votre repas, complétez-le avec des crudités ou un jus de légumes, un fruit et un laitage.

Si le plat fournit peu de protéines, prenez soin d'apporter avec vous un petit morceau de fromage allégé ou un petit contenant de fromage cottage, quelques noix ou même quelques morceaux de goberge.

 Cuisiner à la mijoteuse

La cuisine à la mijoteuse est une merveille pour les femmes occupées. On démarre notre cuisson le matin et on a le bonheur d'humer des effluves invitantes lorsqu'on arrive à la maison, en plus de s'épargner la préparation du souper. Plusieurs livres de cuisine à la mijoteuse sont offerts sur le marché. C'est un achat judicieux, surtout pour les recettes familiales.

Bon à *savoir*

→ La plupart des recettes conviennent à nos journées de travail. À faible intensité, selon la recette, il faut compter de 4 à 12 heures pour la cuisson à la mijoteuse.

→ Comme le liquide ne s'évapore pas dans cet appareil, il faut diminuer la quantité de liquides et prévoir un épaississant.

→ Les fines herbes et les produits laitiers doivent être ajoutés à la fin.

Voici 8 idées de déjeuner express qui vous assureront un bon départ.

→ Muffin maison déjà cuisiné + banane + verre de lait.

→ Smoothie préparé la veille.

→ Crème budwig vitalité préparée la veille.

→ Gruau *overnight* (voir la recette ci-contre).

→ Coupe de yogourt et de fruits (préparée la veille) + granola ajouté le matin même.

→ Bol de céréales + bleuets (déjà lavés) + lait.

→ Tortilla roulée au beurre d'arachide et à la banane (préparée la veille).

→ Barre tendre + boisson de soya + 1 poire.

 ## Adopter le déjeuner santé

Sauter le déjeuner est le lot de plusieurs. Pourtant, il s'agit bel et bien d'un repas essentiel pour le cerveau, qui a besoin de glucides dès le réveil. Le déjeuner idéal devra inclure au moins un produit céréalier, un fruit et un laitage (ou substitut). On peut aussi inclure, pour plus de satiété, une source de protéines comme le beurre d'arachide ou encore les œufs.

Pas le temps de déjeuner? Préparez ce gruau la veille et apportez votre déjeuner au bureau!

Gruau « overnight »

1 PORTION

VALEUR NUTRITIVE POUR 1 PORTION
CALORIES: 360 **PROTÉINES:** 13 g **GLUCIDES:** 53 g **LIPIDES:** 11 g **FIBRES:** 14 g **CALCIUM:** 25 % **FER:** 35 %

Ingrédients

125 ml (½ tasse) de flocons d'avoine
125 ml (½ tasse) de boisson de soya à la vanille (ou lait, ou encore boisson d'amandes ou de noix de cajou)
10 ml (2 c. à thé) de graines de chia
5 ml (1 c. à thé) de sirop d'érable
125 ml (½ tasse) de petits fruits (ou canneberges séchées)
10 ml (2 c. à thé) de noix de Grenoble (ou amandes)

Préparation

1- Mettre tous les ingrédients dans un pot Mason. Fermer et laisser reposer toute la nuit au réfrigérateur.

2- Le matin, ajouter les fruits et les noix et déguster.

Bon à *savoir*

Pour bien choisir vos céréales à déjeuner, optez pour celles qui satisfont aux critères suivants, par portion de 30 g (1 oz) :

→ Présence de grains entiers;

→ ≤ 5 g de sucres;

→ ≤ 3 g de gras;

→ ≥ 4 g de fibres.

Pour choisir vos barres tendres, optez pour celles qui satisfont aux critères suivants (par unité) :

→ Présence de grains entiers;

→ ≤ 8 g de sucre;

→ ≥ 4 g de fibres.

JE NE RESSENS PAS LA FAIM LE MATIN. QUE FAIRE?

À toutes mes clientes qui me donnent cette excuse, je demande si elles grignotent le soir après le souper. Plusieurs me répondent oui. Si vous grignotez le soir jusqu'à 22 heures, il est fort possible que vous n'ayez pas faim au réveil à 6 heures.

Mon premier conseil dans ce cas est de ne plus manger après le souper, sauf une collation très légère comme un verre de lait ou un yogourt. La plupart du temps, la faim est de nouveau au rendez-vous le matin.

Si vous n'avez alors toujours pas faim, je propose de décaler le déjeuner, mais de débuter quand même avec un petit bol de fruits avant de quitter la maison. En arrivant au bureau, vous pourrez poursuivre votre déjeuner avec un bol de gruau et un yogourt ou avec des rôties tartinées de beurre d'amandes. Une autre option est de partir avec son smoothie dans l'auto et de le siroter lentement durant le trajet jusqu'au boulot.

Passez à la cuisine!

Vous trouverez, à la fin de ce livre, des recettes simples et délicieuses qui sont spécialement conçues pour les femmes qui manquent de temps.

DES REPAS PRÊTS À DÉGUSTER EN MOINS DE 30 MINUTES

→ Frittata aux asperges (p. 225)

→ Grilled-cheese cheddar et pommes (p. 226)

→ Escalope de poulet au citron (p. 234)

→ Couscous au poulet et petits pois (p. 235)

→ Tilapia croustillant (p. 236)

→ Pâtes au thon et au pesto (p. 243)

→ Pizza express (p. 249)

→ Casserole express aux haricots rouges (p. 249)

→ Sauté de pois chiches et d'aubergine (p. 250)

VOICI UN EXEMPLE DE MENU QUOTIDIEN QUI POURRAIT ÊTRE CONSTRUIT À PARTIR DES RECETTES EXPRESS:

Ma journée top efficacité

Déjeuner	Collation am	Dîner	Collation pm	Souper	Collation soirée
Gruau *overnight* (page 56) + Un café latte	Petit sachet de noix et de fruits séchés (préemballés)	Soupe aux pois chiches, sortie du congélateur la veille (p. 213) + 2 craquelins de seigle + 1 petit contenant de fromage cottage + 100 g (format individuel) de yogourt grec	1 pomme + 30 g (1 oz) de fromage (déjà coupé en portion)	Escalope de poulet au citron (p. 234) + Couscous de blé entier + Fleurets de brocoli vapeur parsemés d'amandes grillées + Un pouding au soya du commerce	Un verre de lait + 2 dattes

Les astuces
de Josée

Jeudi, 16 heures. Vous vous demandez comment vous allez trouver le temps de vous rendre au centre de conditionnement physique après le travail, avec la montagne de dossiers que vous voyez sur votre bureau.

Samedi, 13 heures. La petite dernière fera bientôt sa sieste, votre grande de 4 ans vous supplie de dessiner avec elle, vous devez penser au souper, sans oublier les livres que vous devez retourner à la bibliothèque... Ah! et puis il y a les inscriptions pour le cours de natation! Et avec tous ces vêtements sales qui traînent sur la laveuse, vous vous demandez comment vous allez trouver le temps de faire votre séance d'exercices.

Ces exemples vous semblent peut-être un brin clichés, mais il s'agit là du grand paradoxe vécu par la plupart des femmes que je rencontre. Il a un lien direct avec le temps. Le temps qui file, le temps qui nous manque, le temps perdu...

Comment se fait-il que vous sachiez toutes à quel point une activité physique régulière vous ferait le plus grand bien et que, pourtant, vous n'arriviez pas à en faire une priorité? Probablement que toutes les autres tâches et toutes les autres personnes dans votre vie sont elles aussi des priorités... et faire un ordre de priorités parmi nos priorités, ce n'est pas facile.

Le quotidien est chargé, parfois fou. Et quand soudainement il devient plus doux, on a envie de souffler un peu. Comment alors trouver un moment pour s'entraîner? Les réponses, vous vous en doutez bien, prennent la forme de suggestions. Vous soupçonnez les options que je m'apprête à vous proposer, mais je vais aller plus loin que le simple engagement inscrit sur le calendrier familial, bien que cela demeure un outil très efficace. Je vais vous parler de méthodes d'entraînement qui sont plus rapides et qui pourraient concrètement faire une différence dans votre horaire bien rempli.

Utiliser le calendrier familial

Le temps, on le cherchera toujours. Il en manque toujours un peu, quoi qu'on fasse. Quelqu'un a dit : il faut prendre le temps, sinon il passe. Vous savez, tout comme moi, que si vous attendez que le bon moment se présente, vous rêvez en couleurs.

Pour moi aussi, le temps est calculé. À la maison, le calendrier familial a toujours une grande place. Pas seulement pour connaître l'horaire des cours et des activités de mes filles, mais pour y inscrire aussi notre horaire, mon mari et moi. Ainsi, même s'il a toujours été bien clair et évident que la priorité était accordée aux activités et aux engagements de nos enfants, il est aussi clair que nos propres activités ont leur importance et doivent être respectées. Avec le temps, même nos filles en sont venues à vérifier de temps à autre si nous étions disponibles en consultant ce fameux calendrier.

Nos alliés ? La constance et le respect.

La constance, c'est justement le respect de cet engagement que vous avez pris envers vous-même de faire une activité physique à des jours et à des heures fixes.

Le respect, c'est celui du reste de la famille, dont votre conjoint, bien entendu, qui vous encourage et vous appuie dans votre démarche en prenant la relève du souper, par exemple, le soir où vous n'êtes pas disponible.

Le calendrier et l'agenda demeurent donc, à mon avis, des outils peu compliqués mais très efficaces pour vous permettre de maintenir votre horaire d'activités physiques.

En ce qui me concerne, l'agenda papier reste un incontournable. Au crayon à mine, j'inscris des rendez-vous « moins importants » ou « non confirmés »... mais mes priorités sont bien claires et l'activité physique en fait partie.

Notez à votre agenda vos rendez-vous d'entraînement. Inscrivez-les non pas à la mine ou en caractères pâles, mais de manière qu'ils soient aussi visibles que tout autre rendez-vous important. Ne sont-ils pas tout aussi essentiels que vos rendez-vous médicaux ou chez le garagiste pour l'entretien de votre voiture ? Il est tout de même étonnant que plusieurs personnes déplacent bien plus aisément une séance d'entraînement qu'un changement de pneus !

 ## *Créer des occasions de bouger*

Pour intégrer plus facilement l'activité physique à votre horaire, il faut vous arrêter et tenter de trouver le moment qui convient et les bons moyens. Voici quelques idées pour ce faire. Pouvez-vous :

→ marcher ou pédaler jusqu'au boulot ?
→ réserver 30 minutes le matin pour marcher à un bon pas ou faire un léger jogging ?
→ passer par le centre de conditionnement physique et faire un cours en groupe, avant le travail ? sur l'heure du dîner ? ou avant de rentrer à la maison ? Vous constaterez que les horaires des centres sont souvent conçus en fonction de ces demandes de plus en plus courantes.
→ descendre de l'autobus plus tôt si vous prenez le transport en commun ? Choisissez un arrêt qui vous permettra de marcher une vingtaine de minutes avant d'arriver au travail. Faites la même chose pour le retour à la maison.

Rappelez-vous que tout compte ! Les activités physiques que vous pratiquez tout au long de votre journée sont cumulatives ; votre dépense énergétique au quotidien sera donc influencée par tout ce que vous ferez pour bouger !

QUELQUES EXEMPLES INSPIRANTS

Voici quelques témoignages de femmes qui ont différents styles de vie, qui sont toutes aussi occupées les unes que les autres, mais qui ont réussi à faire de l'activité physique une de leurs nombreuses priorités.

J'OCCUPE UN POSTE DE DIRECTION DANS UNE INSTITUTION FINANCIÈRE DEPUIS PLUSIEURS ANNÉES. J'ai commencé à m'entraîner il y a maintenant presque 10 ans. À ce moment-là, je vivais seule avec mon fils de 14 ans, alors j'ai pu commencer à m'occuper de moi un peu plus. Ça faisait longtemps que je pensais à m'entraîner ; je voulais perdre du poids et retrouver la forme. Afin de me motiver et de rester disciplinée, j'avais décidé d'inscrire mes périodes d'entraînement à mon agenda, comme un rendez-vous, deux soirs par semaine et toujours à la même heure. Je me faisais un devoir de respecter ces rendez-vous et maintenant, c'est un automatisme. Je ne peux plus m'en passer, ça fait partie de ma vie. Cela enlève le stress de la journée : pendant qu'on s'entraîne, on oublie tout. J'ai perdu du poids, j'ai plus d'endurance, je ne suis plus toujours fatiguée et je me sens tellement bien dans ma peau ! Je veux vieillir en beauté ! L'entraînement me permet de rester en forme et de me sentir jeune. Aujourd'hui, à 45 ans, j'espère avoir la santé encore longtemps pour me permettre de continuer à m'entraîner.

CELA FAIT MAINTENANT PLUS DE 15 ANS QUE JE M'ENTRAÎNE RÉGULIÈREMENT. Malgré le fait que je suis propriétaire d'une entreprise et la maman d'une petite fille de 2 ans, l'activité physique continue d'occuper une place dans ma vie, car cela représente un excellent exutoire : c'est ma façon de sortir mon stress, de me divertir et de rencontrer des gens avec lesquels j'ai des affinités. J'ai donc organisé mon horaire de façon à avoir une gardienne à domicile deux soirs par semaine. Je m'organise pour travailler quatre jours par semaine, ainsi je peux aller m'entraîner un matin en laissant ma fille à la garderie du centre sportif. Finalement, mon conjoint et moi consacrons nos fins de semaine à des activités sportives en famille : vélo, ski, natation, marche, etc. L'activité physique contribue à améliorer ma vie sur les plans personnel, social, familial et physique !

JE SUIS UNE MÈRE DE FAMILLE QUI TRAVAILLE CINQ JOURS PAR SEMAINE. Je m'entraîne trois fois par semaine depuis 13 ans. J'ai toujours planifié mes soupers d'avance, et si je n'ai pas le temps de préparer le souper la veille, je vais à la maison sur mon heure de dîner. Les gens me disent : « Comment fais-tu ? Tu cours tout le temps ! » Je sais que c'est grâce à cet entraînement que j'ai l'énergie pour faire tout ce que je fais ; c'est le seul temps qui m'appartient. Après mes entraînements, toute ma fatigue s'estompe. En plus, ma grande amie est mon instructeur : c'est donc une occasion de plus pour nous voir et passer de bons moments ensemble.

APRÈS L'ÉCOLE SECONDAIRE, PLUS AUCUNE ACTIVITÉ PHYSIQUE N'ÉTAIT OBLIGATOIRE. En suivant les traces de ma mère, je me suis donc engagée dans un entraînement physique, en moyenne deux fois par semaine. La danse aérobique a été une révélation pour moi ! La musique, le dynamisme des professeurs, les rencontres sociales, le défi personnel, tout cela a contribué à ma motivation envers cette activité. Très rapidement, mon engagement a pris la forme d'une gâterie personnelle, d'un vrai plaisir. Encore aujourd'hui, alors que je suis étudiante à la maîtrise, je trouve du temps pour MOI. Du temps qui me donne la possibilité de limiter mon stress. D'ailleurs, c'est un mode de vie que je défends ardemment. Prenons l'exemple d'une semaine d'examens particulièrement intensive. Lorsque le stress m'envahit et que ma concentration fait défaut, je préfère m'évader dans l'entraînement physique, plutôt que de m'acharner à étudier inutilement. Je crois qu'il est préférable d'être pleinement présente (la tête reposée) à un examen que fatiguée parce que l'étude a été trop tardive ou pénible. Le fait de m'entraîner me calme, tout en me remplissant d'énergie. Je rentre ensuite à la maison détendue, prête pour l'examen !

   J'ose espérer que l'une de ces histoires vous convaincra qu'il est possible de trouver le temps et la motivation !

③ Troquer la durée pour l'intensité

IMAGINEZ CE SCÉNARIO. Dans la salle d'entraînement, Julie s'exerce sur un appareil elliptique pendant 30 minutes. Elle maintient un rythme d'une intensité moyenne avec une cadence régulière pour toute la durée de son entraînement.

À l'autre bout de la salle, Roxane s'entraîne avec des poids variés pendant 12 minutes à une intensité très élevée, sans perdre une seconde et en ne prenant à peu près aucun moment de repos entre les enchaînements.

Chez Julie comme chez Roxane, une hormone de croissance sera sécrétée durant l'entraînement. Cette hormone est une sorte de fontaine de jouvence, car elle nous permet de métaboliser des graisses et de les transformer en énergie. La condition ? Il faut repousser ses limites ! Autrement dit, plus on pousse le travail à haute intensité, plus cette hormone a un effet positif sur le métabolisme. Dans les deux cas, un temps de récupération sera nécessaire et favorisera lui aussi une grande dépense énergétique.

Au final, c'est l'entraînement de musculation qui sera le plus payant. Il aura été plus efficace et plus concluant, en moins de la moitié du temps. Mais souvenez-vous qu'il aura fallu à Roxane une détermination à toute épreuve, lui permettant de pousser plus fort que jamais pendant les 12 minutes !

On a longtemps pensé que pour avoir un effet notable sur notre condition physique, l'entraînement devait demander plusieurs heures dans un centre de conditionnement physique, et ce, à une fréquence d'au moins quatre fois par semaine. Mais cette mentalité est en train de se transformer.

Une grande variété de programmes se sont ajoutés dans les menus de « mise en forme », et parmi ceux-ci, plusieurs vous proposent de diminuer votre temps d'entraînement. Il y a par contre une condition. Vous l'aurez deviné : une augmentation de l'intensité.

LE HIIT, LE SIT ET AUTRES ENTRAÎNEMENTS À HAUTE INTENSITÉ
Le sigle anglophone qui circule partout depuis quelque temps est HIIT, pour *High Intensity Interval Training*. Ce type d'exercice avec intervalles à très haute intensité connaît une vague de popularité à l'heure actuelle, mais au fond, il ne date pas d'hier. Je me souviens d'avoir fait un travail, pendant mes études, portant sur une méthode qu'on enseignait dans

les années 1970, en salle de conditionnement physique : le Fartlek. Le principe était le même : des intervalles à plus haute intensité, répartis également sur une certaine période de temps.

Il y a eu aussi (et on en trouve encore) des cours d'aérobie avec sauts. On les appelait les *High Impact Aerobic Classes.* J'ai moi-même donné ce genre de cours dans les années 1990 et le concept était bien simple : dans un contexte de cours en groupe avec de la musique, on poussait les participants dans des enchaînements très simples mais très intenses par moments, entrecoupés de périodes de récupération.

Puis, sont arrivés les cours de spinning : l'*Indoor Cycling*, de magnifiques parcours parsemés de montées vertigineuses et de descentes des plus appréciées. C'est précisément ce que propose le programme HIIT, qui existe sous plusieurs formes. Comme on vous demandera de vous pousser peut-être même au-delà de vos limites, il exige de vous une détermination bien solide. Celle-ci dépend bien souvent de vos objectifs et de votre motivation.

Selon des chercheurs, trois séances d'entraînement avec intervalles sprint sont tout aussi efficaces que cinq séances plus longues, en endurance. Voici une description de la recherche, publiée dans le *Journal of Physiology* en 2012, qui leur a permis d'être unanimes.

Pour cette étude, on a séparé les participants, tous de jeunes hommes, en deux groupes. Le groupe 1 suivait un programme d'endurance (ET pour *Endurance Training*). Le groupe 2 suivait un programme avec intervalles à haute intensité (SIT pour *Sprint Interval Training*).

Pour la recherche, le groupe 1 s'est entraîné, pour une durée de 40 à 60 minutes, sur des vélos stationnaires, à une fréquence de 5 fois par semaine. Pour la même période, le groupe 2 a fait 3 séances d'environ 30 minutes, mais à haute intensité. On leur demandait de faire 4 à 6 sprints de 30 secondes, entrecoupés par des intervalles de 4,5 minutes pendant lesquels les participants moulinaient à une intensité moyenne sur leur vélo.

On a constaté que les deux méthodes donnent de bons résultats, mais il est intéressant de comparer les données. En seulement 90 minutes par semaine, l'approche SIT (pratiquée par le groupe 2) a permis d'améliorer la sensibilité à l'insuline, la santé vasculaire et la métabolisation des graisses.

Avant de vous lancer dans cette méthode, prenez en considération que le SIT est un entraînement extrême. Il n'est pas donné à tout le monde de l'exécuter à l'intensité qui est demandée. C'est en fait une version extrême du HIIT. Un entraînement SIT implique quelques sprints de 30 secondes à fond de train, en donnant tout ce que vous avez, intercalés de périodes de randonnée à une intensité vraiment confortable. Étant donné la surcharge très élevée de cette approche, elle sera plus pertinente pour de jeunes participants en pleine forme.

À retenir

Se pousser à haute intensité peut signifier de plus grands risques de blessures. Il vous faudra être bien encadrée et connaître exactement la nature de l'exercice à exécuter. Si votre entraînement se fait dans le cadre d'un cours en groupe, soyez vigilante ; assurez-vous d'avoir affaire à un instructeur certifié qui saura déceler la moindre erreur d'exécution (afin de bien vous encadrer) et vous corriger au besoin.

Intense, oui, mais à quel point?

Vous savez que vous devez vous dépasser… mais jusqu'où? Comment savoir si vous êtes dans la bonne zone? En fait, c'est assez facile de s'y retrouver. Vous vous sentirez clairement à bout de souffle! Donc, si vous pouvez encore placoter avec la personne qui s'entraîne à côté de vous, vous devez pousser plus fort! D'autres indices? Vos jambes ou vos bras tremblent, vous transpirez abondamment et vous ressentez une puissante fatigue musculaire localisée.

Soyez tout de même très prudente : les tremblements ne doivent en rien être reliés à des étourdissements ou à une sensation d'épuisement total. De plus, sachez reconnaître la «bonne douleur», celle qui est le signe d'un effort efficace et complet. Il ne faut pas la confondre avec la douleur soudaine, signe d'une blessure aiguë et causée par un mauvais mouvement, une charge trop grande ou une répétition de trop. Cette dernière est à éviter à tout prix.

Mais la bonne nouvelle, selon les auteurs de l'étude, c'est qu'on peut adapter ce type d'entraînement à sa condition physique et à ses propres objectifs, en obtenant tout de même des bénéfices. Par exemple, nous pourrions tous, à tout âge et avec des conditions physiques variées, suivre un programme HIIT qui implique, sur un vélo stationnaire par exemple, des poussées de 15 à 60 secondes à très haute intensité, entrecoupées d'intervalles de 2 à 4 minutes de moulinage à basse intensité.

Les entraîneurs ont vite compris que la clé du succès se trouvait dans l'intensité et la fréquence des intervalles. Autrement dit, il faut identifier le ratio effort/repos qui convient personnellement à chaque participant. Par exemple, une débutante devra faire un ratio de 1:3 (des pompes pour 30 secondes, puis une récupération de 90 secondes). Une personne de niveau intermédiaire pourrait faire 1:2 (des pompes pour 30 secondes et une récupération de 60 secondes). Une personne en grande forme ou une athlète cherchera à «pousser la machine» en exécutant un ratio de 1:1 (30 secondes à l'effort et 30 secondes au repos) ou même de 2:1 (30 secondes à l'effort et 15 secondes en récupération).

L'établissement de ce ratio est donc très personnel. La clé est de pousser l'intensité jusqu'à un niveau proche de l'épuisement, qui nécessite le temps de repos que vous vous accordez. Finalement, souvenez-vous que la portion «sprint» ou «intense» devrait être difficile, mais pas au point de vous empêcher de terminer le cycle total des intervalles avec une bonne technique.

Matthew Cocks, chercheur à l'Université de Liverpool John Moores en Angleterre, explique que ce type d'entraînement favorise une meilleure utilisation et un meilleur transfert des glucides et de l'insuline vers les muscles squelettiques (ces muscles responsables du mouvement) et permet de mieux utiliser les graisses emmagasinées dans cette même fibre musculaire. En plus, on a décelé une diminution de la raideur des artères, ce qui joue un grand rôle dans la réduction des maladies cardiovasculaires. Il s'attend à ce que les méthodes HIIT et SIT deviennent extrêmement populaires pour offrir des moyens concrets et efficaces de contrer des maladies telles que l'hypertension, le diabète, les maladies liées aux vaisseaux sanguins et toutes celles qui sont associées à l'obésité et au vieillissement.

Les entraînements par intervalles, qu'ils soient HIIT, SIT ou votre propre version personnalisée, pourraient faire partie de la solution pour contrer le manque de temps, et ce, peu importe votre condition physique actuelle. D'ailleurs, de premières études démontrent que de plus en plus de participants âgés de 25 à 60 ans, qui étaient préalablement sédentaires, apprécient la courte durée qu'implique ce type d'entraînement, en plus de l'amélioration évidente de leur santé globale.

Cette façon de s'entraîner comporte des bienfaits physiques, bien évidemment, mais elle a aussi un effet positif immense sur l'estime de soi, car elle fournit cette précieuse sensation de pouvoir désormais tout accomplir!

Appliquée dans un contexte de cours en groupe, la méthode se révèle encore plus bénéfique. La camaraderie et l'effort à donner dans un cours de *Body Pump**, par exemple, favorisent le dépassement. Il s'installe une sorte de compétition amicale bienfaitrice! Pendant un exercice extrêmement intense, on compte subtilement sur l'autre pour les encouragements et lui, en retour, compte aussi sur nous.

Envie d'essayer? Vous trouverez un exemple de programme d'exercices avec intervalles à haute intensité à la page 68.

Voici les types d'exercices à favoriser dans le cadre d'un programme d'entraînement avec intervalles à haute intensité:

→ des exercices qui augmentent l'endurance musculaire et la force, tout en stabilisant la colonne vertébrale;

→ des exercices qui vous demandent de vous tenir debout tout en utilisant votre propre poids le plus souvent possible, afin de rendre l'entraînement fonctionnel;

→ des exercices qui travaillent dans différents plans, différents angles: pas seulement en ligne droite devant vous;

→ des exercices qui vous permettent d'inclure des variantes.

*Le Body Pump (Les Mills^MC) est un cours de musculation en groupe.

Passez à l'action!

VOTRE PROGRAMME D'ENTRAÎNEMENT AVEC INTERVALLES À HAUTE INTENSITÉ

L'entraînement que je vous propose ici comporte trois types d'intervalles à intensité élevée :

1. **des poussées :** vous poussez aux limites de vos capacités, pendant 2 minutes à 2 reprises, aux moments qui vous conviennent ;
2. **la pyramide :** l'intensité du mouvement, moyenne au départ, augmente graduellement aux 40 secondes (4 X 40 secondes au total) ;
3. **les jeux de vitesse :** vous augmentez ou diminuez l'intensité selon votre inspiration et vos propres limites pendant 2 minutes.

Équipement nécessaire : step (marche d'exercice), ballon médicinal (*medicine ball*) ou poids de 3,5 à 5,5 kg (8 à 12 lb).

Si vous choisissez de faire votre entraînement sur une musique, visez 130 bpm (c'est le terme couramment utilisé pour la vitesse de la musique : *beat per minute*).

L'échauffement

Durée : 5 minutes

Il devrait contenir des mouvements de base qui vous permettront de faire grimper votre température corporelle et votre fréquence cardiaque.

→ Jogging léger autour de la pièce ou danse : 1 minute.
→ Squats légers à un rythme confortable : 1 minute.
→ Jogging léger autour de la pièce ou danse : 1 minute.
→ Squats thrusts (voir ci-contre), lents et contrôlés : 1 minute.
→ Pompes sur les genoux (demi-push-up) : 1 minute.

L'entraînement

Faites les exercices cardio pendant environ 2 minutes, suivis de 16 répétitions des mouvements stabilisateurs proposés.

Je vous propose 5 blocs ; faites chacun des blocs 2 fois. Accordez-vous au moins 30 secondes de repos entre chaque bloc.

Qu'est-ce que le squat thrust?

Il s'agit d'un squat suivi d'une projection des jambes à l'arrière.Faites d'abord un squat et placez les mains au sol. Effectuez ensuite un saut léger pour allonger les jambes vers l'arrière, comme en position de pompe (push-up), puis exécutez un saut léger pour revenir en flexion.

Attention! Ce n'est pas un burpee: il n'y a pas de saut en extension debout.

Allez à votre rythme ou modifiez le squat thrust en allongeant les jambes une après l'autre sans sauter.

Bloc

CARDIO : INTERVALLES EN POUSSÉES

Durée : 2 minutes

Position de départ : Tenez-vous debout sur un step (marche d'exercice).

1. Descendez et remontez, un pied après l'autre.

Poussées : À 2 reprises durant ces 2 minutes, au moment qui vous convient, sautez du sol sur la marche, les deux pieds en même temps, puis sautez au sol, à l'écart.

MOUVEMENTS STABILISATEURS

Position de départ : Debout, un ballon médicinal ou des poids dans les mains, devant vous.

1. Faites un squat avec une rotation du tronc à droite, puis remontez.
2. Effectuez un autre squat en pivotant le tronc vers la gauche, puis remontez.

Faites 16 répétitions de cette séquence.

Quelques conseils pour le bloc 1

→ Si vous sautez, atterrissez doucement.
→ Pendant les squats avec rotation, maintenez les hanches droit devant pendant la torsion.
→ Si vous êtes débutante, plutôt que de sauter sur le step, faites simplement des squats plus profonds pour augmenter l'intensité et sans surcharge (sans poids ni ballon médicinal).

Bloc

CARDIO : INTERVALLES PYRAMIDAUX

Durée : 2 minutes.

Position de départ : Debout.

1. Débutez par des sauts latéraux, d'un côté à l'autre pendant 40 secondes.
2. Ajoutez un jumping jack à chaque saut latéral pendant 40 secondes.
3. Ajoutez un saut en extension à chaque saut latéral pendant 40 secondes.

MOUVEMENTS STABILISATEURS

Position de départ : Debout, un ballon médicinal ou un poids dans les mains, devant vous.

1. Placez-vous en équilibre sur la jambe droite.
2. Inclinez-vous en pivotant à partir des hanches et déposez le ballon ou le poids sur le sol ou sur le step, puis revenez à votre point de départ.
3. Inclinez-vous à nouveau pour reprendre le ballon ou le poids, toujours en équilibre sur un pied, puis revenez au point de départ.
4. Changez de côté.

Faites 16 répétitions (1 répétition = 1 côté).

Quelques conseils pour le bloc 2

→ Pendant les sauts latéraux, tentez d'atterrir doucement. Choisissez une distance confortable.
→ Pendant le mouvement d'inclinaison du tronc, gardez votre colonne en position neutre.
→ Si vous êtes débutante, faites des « step touch » ou des pas de danse de côté, plutôt que des sauts latéraux ; pour les mouvements stabilisateurs, n'utilisez pas de surcharge (pas de poids ni de ballon) : touchez simplement le sol avec la main, si possible.

Bloc 3

CARDIO : INTERVALLES EN JEUX DE VITESSE

Durée : 2 minutes.

Position de départ : Debout.

Courez sur place en levant les genoux très haut ; jouez avec l'intensité à 4 reprises en levant les genoux à différentes hauteurs, à différents moments.

MOUVEMENTS STABILISATEURS

Position de départ : Debout.

1. Faites un squat.
2. Placez les mains au sol.
3. Faites un saut léger pour allonger les jambes en position de planche.
4. Faites un saut léger pour revenir en flexion.

Faites 16 répétitions.

Quelques conseils pour le bloc 3

→ Serrez les abdominaux et maintenez le gainage de toute la sangle abdominale pendant le jogging.
→ Assurez-vous de bien aligner le corps pendant la planche (dans les mouvements stabilisateurs).
→ Si vous êtes débutante, levez les genoux de façon alternée, plutôt que de faire de la course ;
   pour les mouvements stabilisateurs, allongez-vous en planche 1 fois sur 2 ou sur 4.

Bloc

CARDIO : INTERVALLES EN POUSSÉES

Durée : 2 minutes.

Position de départ : Placez un pied sur le step et l'autre au sol.

1. Faites un squat, puis montez sur le dessus du step.
2. Faites le squat de l'autre côté, avec l'autre pied sur le step.
3. Continuez d'alterner ainsi pendant 2 minutes.

Poussées : À 2 reprises durant ces 2 minutes et au moment qui vous convient, faites un saut pour traverser lors du changement de côté.

MOUVEMENTS STABILISATEURS

Position de départ : En équilibre sur la jambe droite, tenez un ballon médicinal ou un poids au bout des bras allongés.

1. En pivotant aux hanches, descendez le tronc et les bras vers le sol en allongeant la jambe gauche vers l'arrière.
2. Reprenez de l'autre côté.

Faites 16 répétitions.

Quelques conseils pour le bloc 4

→ Pressez les talons contre le sol pendant l'exécution des squats.
→ Maintenez un bel alignement du tronc pendant les mouvements stabilisateurs.
→ Si vous êtes débutante, plutôt que de sauter en traversant le step, faites un squat plus profond. Faites les mouvements stabilisateurs sur 2 jambes plutôt qu'en équilibre sur 1 jambe.

Bloc ⑤

CARDIO : INTERVALLES PYRAMIDAUX

Durée : 2 minutes.

Position de départ : Debout, pieds à la largeur des épaules, bras le long du corps.

1. Descendez en squat en poussant les hanches vers l'arrière.
2. Passez du squat à la remontée sur le bout des pieds pendant 40 secondes.
3. Passez du squat au petit saut pendant 40 secondes.
4. Passez du squat au saut groupé pendant 40 secondes.

MOUVEMENTS STABILISATEURS

Position de départ : Debout, une charge (poids ou ballon médicinal) dans les mains près de vous, bras fléchis.

1. Faites une fente avant avec la jambe droite.
2. Une fois en fente, tournez le tronc vers la jambe avant.
3. Inversez pour chaque répétition.

Faites 16 répétitions (1 répétition = 1 côté).

Quelques conseils pour le bloc 5

→ Contrôlez votre mouvement et votre atterrissage pendant les sauts.
→ Pendant les mouvements de rotation du tronc, pensez à votre gainage et serrez les abdominaux.
→ Si vous êtes débutante, ne faites pas les sauts dans la partie cardio ; augmentez simplement la rapidité d'exécution. Pour les mouvements stabilisateurs, faites les fentes avec rotation sans surcharge (pas de poids ni de ballon) dans les mains.

Étirements et retour au calme

Durée : 5 minutes.

Faites les étirements suivants et maintenez chacun environ 30 secondes.

Ischio-jambiers : Debout, en appui sur votre jambe gauche qui est fléchie, inclinez le tronc vers la jambe droite. La cheville est détendue et le dos est droit. Essayez d'avancer le tronc à partir des hanches et non en arrondissant le dos. Gardez la tête dans le prolongement du dos. Reprenez de l'autre côté.

Quadriceps : Debout, en équilibre sur la jambe gauche, saisissez la cheville droite et tirez le talon vers les fessiers, en basculant les hanches vers l'avant ; alternez.

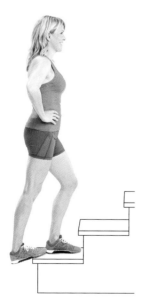

Mollets : Placez-vous sur le rebord d'une marche ou d'un step. Laissez descendre un talon à la fois, très doucement, un peu plus bas que le niveau de la marche ; alternez.

Détente et étirement du dos : Debout, placez vos mains sur vos genoux, jambes légèrement fléchies : faites un dos plat, puis un dos rond, lentement, en respirant confortablement et profondément.

CHAPITRE 3

Pour un moral à toute épreuve

Les astuces
d'Isabelle

Les femmes sont généralement plus touchées que les hommes par les troubles affectifs importants. Pour preuve, 21% des femmes vivront une dépression majeure au moins une fois dans leur vie par rapport à 12% des hommes.

Comment l'expliquer? Entre autres facteurs, le cycle reproducteur de la femme serait en cause, car il provoque des fluctuations hormonales pouvant aggraver l'instabilité affective.

Vous saviez déjà qu'une alimentation saine est associée à la prévention de plusieurs maladies, mais saviez-vous que les aliments ont aussi le pouvoir d'améliorer notre humeur et d'éloigner les idées sombres? Cap sur l'alimentation antidéprime!

1 Faire le plein d'oméga-3

C'est en constatant que les populations qui consomment le plus de poissons connaissent moins de cas de dépression que les scientifiques ont émis l'hypothèse que leur contenu en oméga-3 expliquait cette relation. Plusieurs études épidémiologiques ont observé une relation significative entre un indice sanguin oméga-3 abaissé et une augmentation des cas de dépression.

La prévalence des troubles bipolaires (maniaco-dépression) serait également faible chez les populations les plus friandes de produits marins. En prime, la consommation de poissons est associée à la prévention des maladies cardiovasculaires; une raison de plus d'en consommer régulièrement!

Un bon moral et une attitude positive sont associés à une meilleure santé et à une longévité accrue.

LES OMÉGA-3 : POUR MIEUX VIVRE LES CHANGEMENTS HORMONAUX

Bonne nouvelle : les études démontrent que la prévalence de la dépression post-partum diminue chez les femmes qui consomment davantage de poissons. La dépression post-partum est présente chez 15 % des femmes après l'accouchement ; cette incidence peut grimper jusqu'à 30 % chez celles qui ont des antécédents de dépression. Les symptômes peuvent se manifester dans les 24 heures suivant l'accouchement ou jusqu'à 6 ans plus tard !

Quant à la ménopause, même si elle n'est pas associée à une augmentation des taux de dépression, on observe néanmoins qu'elle est liée à des troubles émotionnels importants (humeur sombre, anxiété). Les oméga-3 sont aussi à considérer pour améliorer la qualité de vie des femmes à cette période.

BONS GRAS, MAUVAIS GRAS, OMÉGA-6, OMÉGA-3 : COMMENT S'Y RETROUVER ?

On doit consommer chaque jour entre 20 et 35 % de nos calories sous forme de gras, soit de 44 à 78 g de gras, pour un régime quotidien à 2000 calories. Mais il existe plusieurs types de gras. Il importe de distinguer les bons gras (monoinsaturés et polyinsaturés) des mauvais gras (saturés et trans).

Parmi les gras polyinsaturés, on trouve les oméga-3 et les oméga-6. Si les deux sont essentiels, le ratio oméga-6/oméga-3 n'est pas adéquat pour une santé optimale. On consommerait en effet beaucoup trop d'oméga-6 par rapport aux oméga-3. Ce déséquilibre pourrait être associé à l'inflammation dans l'organisme, ce qui augmente les risques de plusieurs maladies.

Parmi les oméga-3, on distingue les oméga-3 d'origine marine de ceux d'origine végétale. On trouve les premiers notamment dans les poissons, et les seconds dans des aliments comme les graines de lin et de chia, l'huile de canola et les noix de Grenoble.

Si les oméga-3 d'origine végétale semblent avoir un effet positif sur la prévention des maladies cardiovasculaires, ils n'ont malheureusement pas le même bienfait sur le moral que ceux d'origine marine. Bien qu'une partie de leurs acides gras puisse se convertir en acides gras à longue chaîne (comme ceux retrouvés dans le poisson), le taux de conversion est très faible (entre 0,2 et 8 %). Ce taux varie selon le sexe (les femmes le convertissent mieux) et le régime alimentaire (la consommation d'oméga-6 réduit le taux de conversion).

Quels sont les signes les plus fréquents de dépression ?

→ Humeur triste ou irritable.
→ Perte d'intérêt pour les activités ou perte de plaisir à s'y adonner.
→ Diminution ou augmentation de l'appétit ou du poids.
→ Insomnie ou hypersomnie.
→ Agitation ou ralentissement psychomoteur.
→ Fatigue ou perte d'énergie.
→ Sentiment de dévalorisation ou culpabilité excessive.
→ Difficultés de concentration ou indécision.

Les oméga-3 que l'on trouve dans les poissons ont principalement les formes ADH (acide docosahexanoïque) et AEP (acide eicosapentaénoïque). C'est cette dernière forme qui semble la plus prometteuse pour promouvoir l'équilibre émotionnel. Un apport adéquat en AEP augmenterait l'inhibition de la recapture de la sérotonine (autrement dit, cela augmenterait la sérotonine en circulation) et produirait, de ce fait, un effet antidépresseur naturel.

Des études récentes ont également souligné l'influence néfaste des mauvais gras sur le moral. Les chercheurs ont ainsi pu démontrer un lien entre la consommation de *fast-food* et les risques de dépression. Une étude récente de l'Université de Montréal évoque également un lien entre la consommation de gras saturés (huile de palme) et l'altération des circuits cérébraux associés aux troubles de l'humeur et à l'hyperphagie (le fait de manger en trop grande quantité). Somme toute, pour la santé globale, les mauvais gras doivent être considérablement limités.

On trouve les gras saturés dans la viande, les fromages gras, certains produits laitiers (beurre, crème) ainsi que dans les huiles de palme, de palmiste et de coco.

QUELS SONT MES BESOINS EN OMÉGA-3 ?

L'apport en gras oméga-3, que leur origine soit végétale ou marine, est faible en Amérique du Nord. Considérant leurs nombreux bénéfices pour la santé, il est fortement suggéré d'augmenter leur consommation. Selon Santé Canada, les recommandations pour les oméga-3 d'origine végétale sont de 0,6 à 1,2 % de l'apport énergétique quotidien. Quant aux oméga-3 d'origine marine, les recommandations varient selon les organismes. L'International Society for the Study of Fatty Acids and Lipids (ISSFAL) conseille 500 mg ou plus d'AEP et d'ADH par jour. L'OMS recommande quant à elle de 300 à 500 mg au quotidien.

Les besoins quotidiens en oméga-3

	Acide alpha-linoléique (oméga-3 d'origine végétale), selon Santé Canada	Oméga-3 de source marine (AEP + ADH), selon l'Organisation mondiale de la santé
Homme 19 ans +	1,6 g	0,3 à 0,5 g
Femme 19 ans +	1,1 g	0,3 à 0,5 g

La sérotonine, un messager du bien-être

La sérotonine est un neurotransmetteur qui contribue à notre humeur. Anxiété, difficulté d'apprentissage, appétit excessif et comportements compulsifs figurent parmi les conséquences d'un manque de sérotonine. Son précurseur, le L-tryptophane, est un acide aminé (unité de base des protéines) essentiel que l'on doit puiser dans les aliments, puisque notre corps ne peut le synthétiser. Plusieurs antidépresseurs misent sur l'inhibition de la recapture de la sérotonine pour alléger les symptômes associés à la dépression.

COMMENT CONSOMMER DAVANTAGE D'OMÉGA-3?

Bien que les poissons maigres (tilapia, morue, sole, pangasius, etc.) et les fruits de mer contiennent aussi des oméga-3, ces quantités sont beaucoup moins importantes que dans les poissons gras. Voici les meilleurs choix.

Les 20 meilleures sources de gras oméga-3 d'origine marine

Aliment (portion de 75 g/2 ½ oz)	Teneur AEP-ADH
1- Maquereau, salé	3,87 g
2- Saumon de l'Atlantique, d'élevage, cuit	1,98 g
3- Hareng, cuit	1,65 g
4- Saumon quinnat, cuit	1,60 g
5- Morue charbonnière, cuite	1,58 g
6- Maquereau, cuit	1,54 g
7- Grand corégone, cuit	1,52 g
8- Saumon coho, d'élevage, cuit	1,51 g
9- Huîtres du Pacifique, vapeur	1,10 g
10- Sardines, en conserve	1,10 g
11- Saumon rose, cuit	1,08 g
12- Saumon sockeye (rouge), cuit	1,07 g
13- Truite, cuite	1,01 g
14- Omble chevalier, cuit	1,00 g
15- Thon, chair blanche, en conserve	0,70 g
16- Plie, filet de sole, cuits	0,41 g
17- Crevettes, vapeur ou bouillies	0,26 g
18- Thon, chair pâle, en conserve	0,20 g
19- Tilapia, cuit	0,18 g
20- Morue de l'Atlantique, cuite	0,12 g

La cuisson du poisson fait baisser sa teneur en oméga-3. C'est pourquoi on évite de prolonger la cuisson inutilement.

Des études suggèrent qu'un apport d'environ 1 g par jour d'AEP serait efficace comme traitement adjuvant (auxiliaire) à la dépression légère ou modérée. Cette quantité correspond à la consommation d'au moins 4 repas de poissons gras (maquereau, saumon, sardines, hareng, thon) par semaine ou de 2 à 3 comprimés d'huile de poisson par jour.

Poisson d'élevage ou poisson sauvage?

Comparativement aux poissons sauvages, les poissons d'élevage renferment plus de matières grasses. Ils contiennent tout autant d'oméga-3 en quantité absolue, mais cette proportion est moindre par rapport au gras total que dans les poissons sauvages. Les poissons d'élevage restent toutefois tout aussi recommandables que les autres. Par ailleurs, leur contenu en gras oméga-3 peut varier, selon le type d'alimentation qui leur est fourni.

Et le mercure?

Le taux de contamination au mercure de la population québécoise est très faible. Les études sur l'impact du mercure ont été réalisées auprès de populations nordiques, grandes consommatrices de phoques et de baleines, des espèces beaucoup plus contaminées que les poissons consommés par la majorité des gens. De plus, le poisson est une source intéressante de sélénium, lequel a des propriétés antagonistes au mercure. Si l'on suit les limites de consommation recommandées par Santé Canada pour certaines espèces, il n'y a pas de raison de s'inquiéter.

Les limites concernent principalement le thon rouge, le requin, le marlin et l'espadon (des poissons prédateurs). Voici les recommandations pour ces poissons:

→   Population en général: 150 g (5 oz) / semaine;
→   Femmes enceintes et allaitantes: 150 g (5 oz) / mois.

Le thon blanc (germon) contient beaucoup plus de mercure que le thon pâle (listao, mignon ou à nageoires jaunes). Une femme enceinte ne doit pas consommer plus de 300 g (10 oz) de thon blanc par semaine. Il n'y a pas de limites imposées concernant le thon pâle.

Les 11 meilleures sources d'oméga-3 d'origine végétale

Aliment	Portion	Teneur en acide alpha-linolénique (oméga-3)
1- Huile de lin	15 ml (1 c. à soupe)	7,74 g
2- Huile de caméline	15 ml (1 c. à soupe)	4,50 g
3- Graines de lin, moulues	15 ml (1 c. à soupe)	2,45 g
4- Noix de Grenoble	60 ml (¼ tasse)	2,30 g
5- Graines de chia	15 ml (1 c. à soupe)	1,90 g
6- Huile de canola	15 ml (1 c. à soupe)	1,26 g
7- Fèves de soya, cuites	175 ml (¾ tasse)	0,76 g
8- Fèves de soya, rôties	60 ml (¼ tasse)	0,42 g
9- Edamame	175 ml (¾ tasse)	0,29-0,34 g
10- Pacanes	60 ml (¼ tasse)	0,28 g
11- Amandes	60 ml (¼ tasse)	0,15 g

LES SUPPLÉMENTS, DE BONS ALLIÉS!

Ce livre fournit plusieurs recettes à base de poisson. Une belle occasion de cuisiner davantage de produits marins! Toutefois, atteindre la dose qui semble contribuer à la régulation de l'humeur devient difficile si on ne se fie qu'aux aliments. Plusieurs suppléments d'origine marine existent sur le marché. Ce sont, avec les suppléments de vitamine D, les seuls que je recommande régulièrement à ma clientèle. Plusieurs sont conçus spécialement pour l'humeur.

Pour atteindre la dose recommandée de 1 g d'EPA, on doit prendre 2 ou 3 comprimés par jour, selon la marque. Parmi les produits que je suggère: OM3 Emotion (Isodisnatura), Oméga-3 Calm (Jamieson), Omega 3 + Joy (Genuine Health).

② Combler ses besoins en vitamine D

Essayez-le

Il suffit de 15 ml (1 c. à soupe) de graines de lin ou de chia par jour pour combler ses besoins en oméga-3 d'origine végétale. C'est si simple de les ajouter au yogourt, à la compote de fruits ou à des céréales!

De faibles concentrations sanguines de vitamine D sont associées à un risque plus élevé de dépression. Or, il est difficile de déterminer si les gens déprimés s'exposent moins aux rayons du soleil et, par conséquent, produisent moins de vitamine D, ou si ce sont vraiment les apports en vitamine D qui influent sur le moral. Mon avis? Peu importe, car considérant les nombreux bénéfices liés à la consommation de la vitamine D, mieux vaut s'assurer de combler ses besoins quotidiens.

QUELS SONT MES BESOINS EN VITAMINE D?

Depuis novembre 2010, Santé Canada recommande un apport en vitamine D de 600 UI (15 mcg) par jour chez les personnes âgées de 1 à 70 ans. Chez les personnes de 70 ans et plus, l'apport quotidien recommandé se chiffre à 800 UI (20 mcg). L'apport maximal tolérable quotidiennement (la quantité à ne pas dépasser chaque jour) est établi à 4000 UI (100 mcg).

Bon à savoir

L'organisme est capable de synthétiser de la vitamine D par la peau sous les effets des rayons ultraviolets du soleil. L'exposition au soleil pourrait procurer une bonne partie de la vitamine D requise chaque jour. Une simple exposition des mains, des avant-bras et du visage pendant 10 à 15 minutes entre 11 heures et 14 heures d'avril à octobre, à raison de 2 ou 3 fois par semaine, suffirait pour combler l'apport requis en vitamine D chez un adulte en bonne santé. Cependant, les personnes âgées synthétisent naturellement moins de vitamine D par le soleil. En plus, les écrans solaires appliqués généreusement pour se protéger des rayons compromettent cette synthèse. On ne peut donc pas se fier seulement au soleil pour combler ses besoins en vitamine D.

COMMENT FAIRE LE PLEIN DE VITAMINE D?

Puisque notre production de vitamine D est limitée, il est important de consommer des aliments qui en contiennent ou qui sont enrichis de cette vitamine. Cependant, les sources alimentaires sont loin d'être nombreuses et diversifiées.

Les principales sources de vitamine D

Aliments	Portion	Vitamine D (UI)
Légumes		
Champignons shiitakes	125 ml (½ tasse)	15
Champignons blancs	125 ml (½ tasse)	4
Produits laitiers et substituts		
Lait	100 ml (format individuel)	103
Boisson de soya enrichie	250 ml (1 tasse)	87
Yogourt enrichi	250 ml (1 tasse)	30 à 50
Poissons, cuits		
Thon frais	75 g (2 ½ oz)	219
Truite sauvage	75 g (2 ½ oz)	210
Saumon de l'Atlantique	75 g (2 ½ oz)	204
Truite d'élevage	75 g (2 ½ oz)	192
Tilapia	75 g (2 ½ oz)	121
Maquereau bleu	75 g (2 ½ oz)	78
Sardines	75 g (2 ½ oz)	70
Sole	75 g (2 ½ oz)	44
Thon en conserve	75 g (2 ½ oz)	36
Morue	75 g (2 ½ oz)	36
Autres aliments		
Huile de foie de morue	5 ml (1 c. à thé)	430
Œufs	2 gros	52
Pain enrichi	2 tranches	50

 Les aliments les plus riches en vitamine D sont les poissons gras et les produits laitiers. La consommation de ces aliments étant souvent insuffisante, il est recommandé de prendre un supplément. Depuis 2007, la Société canadienne du cancer recommande la prise de 1000 UI de vitamine D par jour à titre préventif, en particulier chez les personnes âgées. D'autres spécialistes recommandent la prise d'un supplément de 400 UI en plus des aliments qui contiennent de la vitamine D.

Le rôle de la vitamine D dans la prévention de l'ostéoporose et la diminution des risques de fractures et de chutes chez les personnes âgées est bien connu. Comme les besoins sont plus élevés chez ces personnes, un supplément est chaudement recommandé afin qu'elles puissent optimiser leur état de santé. Voir le chapitre 6 qui aborde la prévention de l'ostéoporose.

 ## Consommer des produits céréaliers

Plusieurs femmes rejettent, à tort, les produits céréaliers, car elles souhaitent perdre du poids. Or, en plus de constituer le principal carburant du corps, les glucides (contenus entre autres dans les produits céréaliers) contribuent à un bon moral. Ils permettent notamment de favoriser l'entrée du L-tryptophane au cerveau, lequel est précurseur de la sérotonine (le neurotransmetteur du bien-être, voir la page 80). Si les aliments sucrés sont attirants pour plusieurs femmes, leur valeur nutritive n'est toutefois pas optimale. C'est donc vers les produits céréaliers de faible indice glycémique que l'on devrait se tourner.

Voici mes suggestions de produits céréaliers :
→ Riz brun ;
→ Pâtes de blé entier ou de riz brun ;
→ Couscous de blé entier ;
→ Pain, pita et tortilla 100 % grains entiers ;
→ Muffin anglais au blé entier ;
→ Craquelins de grains entiers
   (seigle, blé, avoine, etc.).

Et d'autres aliments renfermant de « bons » glucides :
→ Pomme de terre avec pelure ;
→ Quinoa ;
→ Sarrasin ;
→ Patate douce.

Les gens qui déjeunent le matin se sentent plus heureux au cours de la matinée que ceux qui omettent ce repas. Les déjeuners composés essentiellement de glucides (produits céréaliers) seraient particulièrement efficaces !

Faire le plein de bons nutriments pour combattre les effets du stress

Le stress chronique induit des taux de cortisol (l'hormone du stress) anormalement élevés, causant de ce fait de l'oxydation au niveau des lipides contenus dans le cerveau. Or, une capacité antioxydante réduite et un niveau de cortisol élevé sont associés à la dépression.

Selon des recherches, les antioxydants (notamment la vitamine C et le zinc), certaines vitamines du complexe B (B$_{12}$ et folates) et le magnésium sont des micronutriments qui ont des bienfaits tant dans la prévention de la dépression chez les personnes vulnérables que dans l'amélioration de l'efficacité du traitement pharmacologique dans les cas de dépression clinique.

Le stress vécu au quotidien augmente les pertes de magnésium dans l'urine. La déficience en magnésium provoque des troubles nerveux, comme de l'hyperémotivité, des tremblements et une fatigue matinale intense. De bonnes sources de magnésium permettent de compenser ces pertes.

Voici les sources d'antioxydants à prioriser :
→ Fruits et légumes (agrumes, tomates, poivrons colorés, brocoli, etc.);
→ Légumineuses (pois chiches, haricots rouges, lentilles, etc.);
→ Huître et fruits de mer (zinc).

Pour optimiser votre apport en vitamines du complexe B (B$_{12}$ et folates), je vous recommande les aliments suivants :
→ Viandes et abats;
→ Œufs;
→ Germe de blé;
→ Levure alimentaire (bière et autres);
→ Son de blé;
→ Légumineuses.

Finalement, voici les meilleures sources de magnésium :
→ Légumineuses;
→ Céréales à grains entiers;
→ Graines et noix;
→ Chocolat noir;
→ Levure alimentaire.

Le chocolat : l'aliment antidéprime par excellence ?

Aliment plaisir s'il en est, le chocolat séduit le palais de nombreux adeptes et les femmes en sont de grandes amatrices. Jadis décrié par ceux qui l'accusaient d'être trop riche en gras et en sucre, voilà qu'il retrouve ses lettres de noblesse grâce à la publication de certaines recherches ayant démontré ses vertus salutaires. Son contenu en polyphénols, des composantes antioxydantes, lui confère même un rôle dans la prévention des maladies cardiovasculaires.

Le chocolat contient également du magnésium, de la phényléthylamine (qui joue un rôle antidépresseur) ainsi que des substances euphorisantes qui le rendent particulièrement attrayant. Pas étonnant que plusieurs femmes craquent littéralement pour le chocolat ! Mais encore faut-il choisir le bon !

Le chocolat noir est à privilégier. Le chocolat au lait, auquel on a ajouté plus de sucre et des produits dérivés du lait, est un choix acceptable. Seul le chocolat blanc, qui ne contient pas de cacao, est à déconseiller.

Même si les recherches nous indiquent que le chocolat peut être considéré comme un aliment santé, il ne faut pas en abuser, surtout si l'on surveille son poids (car il est très calorique !) ou si l'on est diabétique. Pour l'instant, force est de constater que deux petits carrés de chocolat noir nous font le plus grand bien, du moins psychologiquement !

 ## Déjouer l'insomnie par l'alimentation

Les femmes sont plus prédisposées à l'insomnie que les hommes. Les troubles de l'humeur et l'anxiété, tout comme les changements hormonaux, peuvent nuire à la qualité du sommeil en général.

Voici quelques conseils pour mieux dormir :

→ Prendre une collation qui combine glucides et protéines en soirée. Des idées ? En voici quelques-unes :
  • Une boisson de soya à la vanille avec 15 ml (1 c. à soupe) de graines de chia ;
  • Un yogourt grec aux fruits (format individuel) avec 10 ml (2 c. à thé) de psyllium ;

- Un petit bol de céréales (30 g / 1 oz) + lait ;
- Une rôtie + 10 ml (2 c. à thé) de beurre d'arachide ;
- Un lait chaud à la cannelle.

→ Prendre une tisane aux propriétés calmantes (valériane, camomille) avant le coucher.

→ Essayer le millepertuis (pour ses propriétés antidéprime), la mélatonine et les suppléments de magnésium (lesquels pourraient faciliter l'endormissement et améliorer la qualité du sommeil).

 ## Renouer avec le plaisir de manger

Manger est un réel plaisir de la vie. Apprécier chaque bouchée, sans culpabilité, apporte assurément du bonheur au quotidien. Encore trop de femmes viennent me consulter avec un sentiment amour-haine envers les aliments.

Voici cinq façons de convertir l'heure du repas en un moment positif et agréable :

1. Dressez une belle table, même si vous mangez seule, pour en faire un moment privilégié.
2. Cuisinez au son de votre musique préférée et, pourquoi pas !, avec un verre de vin. Associez ce moment à quelque chose de positif !
3. Prêtez attention au dressage de l'assiette ; jouer sur les couleurs et la disposition pour créer un joli visuel.
4. En famille, ne discutez pas des problèmes ou des conflits à table.
5. Accordez au repas du soir un temps suffisant pour vous relaxer. Consacrez-y au moins 30 minutes.

Passez à la cuisine!

Vous trouverez, à la fin de ce livre, des recettes simples et délicieuses qui sont spécialement conçues pour les femmes qui veulent chasser la morosité ou simplement cultiver la joie d'être à table.

DES PLATS RÉCONFORTANTS
→ Crêpe aux figues et à la ricotta (p. 212)
→ Gratin de chou au jambon (p. 233)
→ Saumon en croûte de pistaches (p. 238)
→ Crevettes aux tomates épicées (p. 240)
→ Croquettes de crabe (p. 242)
→ Linguines au fromage à la crème et saumon fumé (p. 244)
→ Pennes sauce crémeuse au tofu (p. 245)

DES DESSERTS QUI FONT DU BIEN AU CORPS ET À L'ÂME
→ Crumble aux pêches (p. 253)
→ Mousse légère au chocolat (p. 254)

VOICI UN EXEMPLE DE MENU QUOTIDIEN QUI POURRAIT ÊTRE CONSTRUIT À PARTIR DES RECETTES ANTIDÉPRIME:

Ma journée antidéprime

Déjeuner	Collation am	Dîner	Collation pm	Souper	Collation soirée
Crêpes aux figues et à la ricotta (p. 212) + 250 ml (1 tasse) de lait	Un pouding au tapioca à la mangue	Pennes sauce crémeuse au tofu (p. 245) + Salade verte aux noix de Grenoble + 1 pomme	1 yogourt (format individuel) + 15 ml (1 c. à soupe) de germe de blé	Saumon en croûte de pistaches (p. 238) + Riz brun + Épinards sautés aux graines de citrouille + Mousse légère au chocolat (p. 254)	1 boisson de soya enrichie

Les astuces
de *Josée*

Les bienfaits de l'exercice sur le corps sont nombreux et de plus en plus connus. La liste de ces avantages s'allonge sérieusement lorsqu'on y ajoute les effets sur la santé mentale. En fait, faire de l'exercice régulièrement est sans aucun doute la façon la plus simple et la plus efficace d'améliorer le bien-être psychologique.

Il y a 2500 ans, Hippocrate a été le premier médecin occidental à prescrire l'exercice pour favoriser la santé mentale de ses patients. On sait maintenant qu'il avait bien raison : à l'heure actuelle, les médecins « prescrivent » de plus en plus souvent l'activité physique à leurs patients. Bien entendu, c'est d'abord pour améliorer leur santé physique, mais c'est aussi pour le bien de leur santé mentale.

Les recherches le prouvent : on peut réduire le stress, diminuer les effets d'une dépression ou de l'anxiété, augmenter la mémoire, favoriser un meilleur sommeil et, plus globalement, améliorer le moral par l'activité physique, notamment grâce au merveilleux pouvoir des endorphines. Faire de l'exercice stimule aussi la production de nouvelles cellules cérébrales, en plus de ralentir le déclin lié au vieillissement du cerveau.

D'autres bonnes nouvelles ? Sachez qu'il n'est pas nécessaire d'être une athlète ou une grande adepte de l'entraînement pour ressentir les effets positifs de l'exercice sur son moral. Peu importe votre âge, votre niveau de condition physique ou votre environnement, il est possible d'améliorer votre qualité de vie et de vous sentir plus heureuse simplement en faisant un exercice qui vous fait plaisir !

① *Miser sur le plaisir !*

« Faire de l'exercice », ce n'est pas seulement améliorer son cardio ou augmenter sa masse musculaire. Il est certain que le fait de vous entraîner régulièrement vous permettra d'améliorer votre condition physique, et donc votre santé physique. Avec un peu de chance, vous ajouterez peut-être même quelques années au calendrier de votre vie! Mais tout ça n'est que la base de la plus grande motivation qui soit: se sentir bien. Celles et ceux qui pratiquent une activité physique de façon régulière le font avant tout parce que cela leur procure une merveilleuse sensation de bien-être.

Au cours des conférences que je donne, je pose parfois cette simple question à mon auditoire: «Quelle est la première chose que vous dites lorsque vous rentrez à la maison après une promenade?» La réponse est toujours spontanée et unanime: «ÇA fait du BIEN!» Voilà ce qu'on dit traditionnellement après un cours en groupe, un entraînement au gym, une marche ou une autre activité physique. Sans trop savoir pourquoi, on se sent spontanément mieux, tout simplement.

Qui n'a pas connu, ne serait-ce qu'une seule fois, cet indescriptible sentiment de bien-être que l'on ressent après avoir fait son sport préféré? À la longue, ce sentiment devient subtil, car on s'y habitue, mais il demeure nécessaire. Et c'est lorsqu'on cesse momentanément cette activité que l'on se rend compte à quel point ce sentiment nous manque.

Une amie triathlète me racontait combien elle devient impatiente lorsqu'elle rate un entraînement ou qu'une blessure l'oblige à ralentir. Des participants habituels aux cours en groupe me racontent aussi, très souvent, à quel point les cours leur manquent lorsqu'ils s'absentent, par exemple pour des vacances. Bien sûr, les individus qui partagent avec eux cette activité y sont pour beaucoup, mais il y a aussi, plus subtilement, le manque d'endorphines qui entre en ligne de compte. Une drogue douce, naturelle et bienfaisante...

COMMENT AUGMENTER MON PLAISIR DE BOUGER?
Voici quelques conseils simples et précieux:
→ Concentrez-vous sur des activités physiques qui sont adaptées à vos besoins et à vos intérêts.
→ Choisissez un exercice qui se fait en groupe ou avec un partenaire. L'amitié et l'appui des autres vous aideront à vous motiver et décupleront votre sentiment de fierté.
→ Trouvez l'intensité qui correspond à votre niveau de condition physique (au besoin, reportez-vous à la page 31 pour calculer votre fréquence cardiaque maximale).
→ Choisissez un exercice qui convient à votre horaire et à vos déplacements.
→ Sachez que la musique peut contribuer à agrémenter votre entraînement. Il semblerait qu'elle peut accentuer les sensations de bien-être et de calme associées à l'exercice. Alors, choisissez une musique qui vous plaît et laissez-vous transporter par le rythme!

Que sont les endorphines?

Une activité physique pratiquée régulièrement favorise la production d'endorphines, une puissante hormone sécrétée par l'hypophyse et l'hypothalamus, deux petites glandes vitales du cerveau.

Le terme endorphine (ou endomorphine) est en fait une abréviation des mots substance morphinique endogène. Les endorphines, en effet, agissent comme la morphine, mais elles sont sécrétées par l'organisme. Tout comme les opiacés, elles intensifient les sensations de plaisir tout en réduisant la douleur. En plus d'augmenter notre sentiment de bien-être, elles nous permettent aussi de nous sentir plus «allumées»! Grâce aux endorphines, on peut jouir d'une meilleure concentration et d'un esprit plus vif au quotidien.

② *Célébrer ses réussites*

En plus de nous procurer un grand bien-être, le fait d'accomplir un effort physique, quel qu'il soit, peut nous remplir de fierté. Qu'il s'agisse d'un marathon, d'un cours en groupe ou d'une randonnée pédestre avec des amis, l'impression de pouvoir dire «mission accomplie» nous donne des ailes.

J'entends depuis des années des femmes dans les vestiaires, après un entraînement ou un cours, dire: «Ouf... je suis contente de m'être déplacée finalement; j'étais moyennement motivée ce soir, après le boulot, mais j'ai fait l'effort de venir quand même... Quelle bonne décision!»

L'activité physique est un investissement du corps, de la tête et de l'âme. Lorsque l'habitude est installée, une sensation unique de confiance en soi l'accompagne, procurant à son tour une impression de puissance: «Si j'ai réussi cela, je pourrai affronter n'importe quoi!»

Grâce à cette confiance en soi, votre regard sur vous-même et sur la vie s'adoucira. Par exemple, vous assumerez plus facilement vos petites imperfections corporelles en leur prêtant moins d'importance et d'attention; vous mettrez plutôt l'accent sur vos réussites, vos exploits, même les plus modestes!

Essayez-le

Apprenez à formuler des objectifs réalistes, qui vous motiveront à court terme.

Voici des exemples:

→ «Je voudrais avoir de l'énergie pour aller au parc au moins 1 fois par semaine avec mon enfant.»

→ «Je voudrais être capable de marcher 5 km, 3 fois par semaine, d'ici 3 mois.»

→ «Je voudrais être prête pour la marche au profit de l'organisme [...] qui aura lieu le [...].»

Ces objectifs, une fois réalisés, vous procureront un sentiment d'accomplissement personnel qui vous donnera envie de vous fixer... un nouvel objectif!

③ *Bouger pour réduire le stress et l'anxiété*

Avez-vous déjà remarqué comment vous vous sentez lorsqu'un grand stress vous accompagne? Vos muscles sont plus tendus, spécialement ceux du visage, du cou et des épaules. Vous ressentez parfois des douleurs difficiles à gérer, même avec le plus efficace des massages. Vous sentez peut-être même une tension au niveau du thorax, des palpitations ou des crampes musculaires.

Certaines femmes souffrent d'insomnie, alors que d'autres ressentent des malaises digestifs et des maux de ventre, sans parler des diarrhées ou du besoin fréquent d'uriner.

Puis le cercle vicieux s'installe. Les soucis, l'inconfort et l'inquiétude en lien avec ces symptômes physiques peuvent créer encore plus de stress.

L'exercice est le meilleur moyen pour briser ce cycle. En plus de vous procurer une sensation de bien-être mental, grâce à la sécrétion d'endorphines, le fait de bouger vous permettra de délier physiquement les tensions accumulées. Et si le corps se sent mieux... la tête suivra.

Il ne faut pas des heures et des heures d'haltères et de sueurs, il ne faut pas non plus des kilomètres et des kilomètres de route parcourus chaque semaine pour que les effets se fassent sentir. Les gens qui bougent régulièrement dorment mieux, ont une mémoire plus vive et se sentent plus détendus… En prime, ils sont fiers d'eux-mêmes et de ce qu'ils ont accompli !

Bien sûr, une simple randonnée à vélo d'une vingtaine de minutes ne fera pas disparaître les problèmes qui se présentent dans votre vie, mais l'exercice vous permettra de mieux gérer vos émotions. Il vous aidera à faire face aux éléments stressants de votre vie, tout en diminuant la colère et les frustrations.

Le stress est souvent le fruit d'une accumulation de soucis, tous empilés les uns par-dessus les autres, jusqu'à créer une montagne. L'exercice vous permet de remettre les choses en perspective pour mieux percevoir et décortiquer chacun des éléments qui vous apparaissaient si stressants. Soudainement, lorsqu'on rentre d'une promenade à pied ou à vélo, tout autour se présente plus clairement à notre esprit.

L'activité physique peut aussi nous amener à oublier ces soucis temporairement en nous changeant les idées. Une pause nous permet de rompre le cycle des pensées négatives, qui, à elles seules, alimentent l'anxiété, la dépression et les troubles émotifs.

Il est maintenant universellement reconnu et accepté que l'exercice diminue les effets négatifs du stress. Il nous offre aussi un moyen sain pour affronter les épreuves de la vie, quelles qu'elles soient, et pour éviter certains pièges nocifs, que ce soit l'abus de médicaments ou le recours à d'autres substances comme l'alcool et les drogues, qui, au final, ne feraient qu'empirer notre mal-être physique et psychologique.

À retenir

Lorsque votre moral est à terre, que vous vous sentez à plat et que vous pensez que le moment n'est vraiment pas le bon pour faire de l'exercice, ALLEZ-Y ! C'EST JUSTEMENT LE MEILLEUR MOMENT.

Le sport : un antidépresseur 100 % naturel !

On peut de plus en plus affirmer que l'exercice peut traiter une dépression légère ou modérée tout aussi efficacement que les médicaments, et cela, sans leurs effets secondaires si redoutés.

Des études ont démontré que le maintien d'un programme régulier d'exercice pourrait beaucoup diminuer les symptômes d'une dépression, en plus de réduire les risques de rechute.

Voyez l'exercice comme le « médicament » le plus abordable qui soit pour traiter la dépression et l'anxiété. En prime, les effets secondaires, pour une fois, sont souhaitables puisque ceux-ci seront directement associés à une diminution du taux de mauvais cholestérol, à une régularisation de la pression artérielle et à une réduction du risque de diabète de type 2, pour ne nommer que ceux-là…

Retrouver le calme en soi

Après une activité physique, les endorphines aident à diminuer la fréquence cardiaque et la pression artérielle, tout en stabilisant la respiration et la température corporelle.

Les endorphines ont aussi un effet légèrement sédatif, qui favorise une plus grande sensation de bien-être et de détente après l'entraînement. D'autres techniques, comme le yoga et la méditation ou des exercices de contrôle de la respiration, permettent de ressentir les effets calmants des endorphines après l'entraînement.

Une activité physique intense peut être trop stimulante pour certaines personnes si elle est pratiquée en soirée, et peut, par conséquent, affecter leur sommeil. Si c'est votre cas, tentez de vous entraîner le matin ou sur l'heure du dîner. En revanche, des activités comme le yoga ou des étirements pourraient favoriser un meilleur sommeil si elles sont pratiquées en soirée.

Essayez-le

Dans la section « Passez à l'action ! » de ce chapitre, vous trouverez six postures de yoga qui sont réputées pour leurs effets bénéfiques sur le moral.

 ## Jouer dehors !

Une étude sur l'entraînement à l'extérieur, rapportée par le magazine *Extreme Physiology and Medicine* en 2013, a donné de surprenants résultats : lorsque l'on propose à des participants de marcher à leur rythme, ils ont tendance à marcher à une intensité plus élevée s'ils sont dehors. En plus, ces mêmes individus ont ensuite la perception que l'effort fourni était d'une intensité moins élevée que celle qui a été réellement déployée. Il semble donc que l'entraînement à l'extérieur soit très efficace, en plus d'être particulièrement plaisant.

Un autre élément me frappe spécialement dans cette étude : le temps d'exercice nécessaire pour que les effets des endorphines soient ressentis. À peine 5 minutes ! Dès les 5 premières minutes d'exercice à l'extérieur, les bienfaits sur le moral se font sentir ! Cela signifie que si, un jour, vous ne pouvez faire la totalité de votre entraînement, 5 minutes auront suffi à améliorer votre humeur et à changer le cours de votre journée !

Les bienfaits du tai-chi sur le moral et la santé mentale

Le tai-chi est une forme très ancienne d'art martial. Il consiste en des enchaînements fluides de mouvements et de positions réconfortants et bienfaisants. Dans ce type de pratique, le poids du corps se déplace constamment: le centre de gravité est transféré pendant qu'on balance le corps de l'avant vers l'arrière et d'un côté à l'autre. Les muscles du corps entier sont donc impliqués, en harmonie avec une respiration rythmée et contrôlée.

Souvent exécuté sur une musique apaisante, le tai-chi est reconnu pour son effet positif sur la gestion du stress. Parce que les mouvements sont lents et fluides, ils détendent le corps et calment l'esprit, en plus d'améliorer l'équilibre, l'endurance et la souplesse.

Surnommé avec raison «la méditation en mouvement», on dit qu'il stimule le *chi* ou le flot d'énergie, qu'il permet de se sentir plus heureux et de libérer la force du mental.

La plupart des psychologues s'entendent pour dire que le tai-chi, par sa lenteur et ses gestes très précis, améliore la concentration et aide à vivre le moment présent.

Passez à l'action !

VOTRE PROGRAMME D'EXERCICES POUR UN MORAL D'ACIER

En intégrant à votre horaire hebdomadaire un programme d'exercices qui vous convient et qui vous procure du plaisir, vous pourrez en apprécier tous les bienfaits psychologiques et ainsi rehausser votre qualité de vie. Voici des exercices d'intensité modérée qui peuvent constituer de bons choix pour améliorer votre moral et votre humeur.

À L'EXTÉRIEUR
→ Le tennis, avec un partenaire de votre niveau ;
→ La marche* ;
→ Le vélo ;
→ Le jardinage ;
→ Le golf.

À L'INTÉRIEUR
→ Les travaux ménagers (eh oui !) ;
→ La danse ;
→ Un cours en groupe d'intensité légère (danse aérobie, zumba, step, body flow) ;
→ la natation ou l'aquaforme ;
→ Le yoga ;
→ Le tai-chi.

VOTRE «JOURNAL» D'EXERCICES

Je vous suggère de vous confectionner un petit «journal» que vous photocopierez ou imprimerez et placerez sur votre frigo ou à un autre endroit clé de la maison (voir ci-après). Vous y noterez non seulement vos rendez-vous santé, mais également vos émotions et vos sensations.

Prenez le temps, en début de semaine, d'identifier les moments que vous réservez à la marche (ou à toute autre activité physique qui vous plaît). N'inscrivez pas «pm» sur le tableau, mais bien une heure précise à laquelle vous savez qu'il sera plus réaliste de faire l'activité en question.

Juste avant l'exercice, prenez un moment pour prêter une attention particulière à votre moral : êtes-vous bien dans votre peau et dans votre tête ce jour-là ? Notez ce qui vous passe par la tête et, si nécessaire, ajoutez une feuille à ce tableau. Lorsque vous revenez de votre entraînement, arrêtez-vous encore une fois et posez-vous la même question.

*   Parmi les outils les plus accessibles pour intégrer l'activité physique à votre quotidien, il y a, bien évidemment, la marche. Une simple paire de chaussures adaptées à cette activité, c'est tout ce qu'il vous faut ! Dans le chapitre 1, je vous propose un programme progressif pour augmenter l'intensité de votre marche. Vous pourriez tout à fait l'utiliser dans le cadre de ce chapitre aussi.

Au fil des jours et des semaines, vous réaliserez l'énorme effet de l'exercice sur votre moral, et sur le reste de votre vie.

Journal d'exercices	Semaine 1				Semaine 2			
	Jour 1	Jour 2	Jour 3	Jour 4	Jour 1	Jour 2	Jour 3	Jour 4
Jour + Heure de rendez-vous								
Durée objectif (en minutes)								
Moral avant ☺ ☹ ☹								
Moral après ☺ ☹ ☹								

Avant de commencer, on respire...

La respiration représente la vie en vous. On naît avec une inspiration et on quitte ce monde avec une expiration. Prenons un temps d'arrêt, avec une main sur le cœur et l'autre sur le ventre, et observons le rythme de notre respiration, sans rien changer, modifier ou juger.

Il s'agit de prendre conscience de ce qui est dans le moment présent. Notre rythme de respiration peut être lent, court, saccadé, rapide ou irrégulier. Voyons si, à travers ces quelques postures de yoga, nous pouvons ramener le calme dans notre respiration, la paix dans notre cœur et même un sourire sur nos lèvres.

Lorsqu'on pratique le yoga, on suggère de respirer par le nez afin d'affiner et d'allonger le souffle. À l'inspiration, on sent l'air frais sur les parois de notre nez ; à l'expiration, on sent l'air chaud qui glisse vers l'extérieur.

SIX POSTURES DE YOGA POUR AMÉLIORER VOTRE HUMEUR

Lors d'un récent congrès sur l'entraînement, je participais à un atelier de yoga qui portait sur le bonheur. Les propos du yogi Amrit Desai, un professeur de yoga d'origine indienne, m'ont tellement intéressée que j'ai pris des notes très claires, en me disant que si un jour je devais écrire sur le sujet, il faudrait absolument que je rapporte ses propos captivants sur le lien entre certaines postures de yoga et leurs effets directs sur l'humeur.

En bref, cet entraîneur soutenait qu'en pratiquant certaines postures de yoga, on pouvait découvrir le lien indiscutable qui existe entre notre tête et notre corps. La paix et la sensation de bien-être que nous ressentons sur un tapis de yoga ne sont pas le fruit du hasard. Même si plusieurs individus vous diront qu'il s'agit d'un autre effet de la dopamine et de sa complice l'endorphine, nous savons désormais que le yoga va plus loin : ses effets se produisent à un niveau cellulaire.

Lorsque nous donnons une intention positive à un mouvement, nous imprégnons ces mêmes intentions non seulement dans notre esprit, mais aussi dans notre corps.

Une grande partie de nos tristesses et de notre désarroi provient de nos pensées et de notre évaluation peu objective de différentes situations. Avec le temps, la pratique régulière du yoga, et de certaines postures en particulier, peut nous aider à remodeler de façon positive notre attitude face à la vie, notre énergie et nos pensées.

Voici six postures de yoga qui sont réputées pour leurs bienfaits sur le moral. Chacune d'elles est accompagnée d'un mantra (ces mantras sont extraits et traduits du site de Caroline Layzell, professeure de yoga à Bali). Il s'agit d'une courte phrase à répéter lentement et à quelques reprises pendant l'exécution de la posture, si vous avez envie de pousser un plus loin votre pratique de yoga.

Faites régulièrement ces postures ; prenez ce moment pour vous !

Posture du chat (BIDALASANA)

Cette posture calme les pensées constantes qui perturbent parfois notre esprit et détend le système nerveux. Le mouvement doux qui traverse le corps amène un flot d'énergie positive.

Position de départ : Sur votre tapis de yoga ou sur le sol, placez-vous sur les mains et les genoux ; les doigts pointent vers l'avant, les genoux sont placés à la largeur des hanches et la tête est en ligne avec le corps : position neutre.

1. À l'inspiration, creusez légèrement le bas du dos tout en basculant le bassin vers le haut ; levez doucement la tête et pressez les mains dans le sol.
2. À l'expiration, tout en gardant le contact des mains au sol, arrondissez le haut du dos vers ciel, tel un chat qui s'étire, tout en éloignant les omoplates de la colonne vertébrale et en penchant la tête vers le bas. Le bassin bascule vers le sol, les abdominaux sont ramenés vers l'intérieur.
3. Répétez quelques fois cette séquence, puis revenez en position neutre.

Mantra
Je trouverai de la joie
sur ma route aujourd'hui.

 Le guerrier 2 (VIRABHADRASANA II)

Cette posture vous aidera à vous débarrasser du stress et des tensions accumulées ; elle vous amènera à réaliser que vous pouvez être forte et même invincible... et que tout ce que vous faites est magnifique !

Position de départ : Dans la position de la Montagne (debout, le corps bien droit, les bras le long du corps), prenez d'abord 1 ou 2 respirations complètes.

1. Ensuite, à l'inspiration, levez les bras à la hauteur des épaules, parallèles au sol. Le dos est bien ouvert, les épaules sont basses et solides, les paumes sont tournées vers le sol, les doigts bien allongés.
2. À l'expiration, ouvrez les jambes vers l'extérieur (idéalement la longueur de votre jambe plus la longueur de votre pied).
3. À l'inspiration, poussez dans votre talon droit, soulevez vos orteils et tournez le pied vers la droite dans un angle de 90 degrés. À l'expiration, pressez le bord externe de votre pied gauche dans le sol. Votre talon droit sera en ligne avec le talon gauche ou le milieu du bord interne du pied gauche.
4. À l'inspiration, fléchissez le genou droit de façon à faire un angle de 90 degrés tout en alignant le genou au-dessus de la cheville. Maintenez bien la cuisse dans la ligne du genou ; les bras sont toujours à la hauteur des épaules. Puissance et force. Expirez.
5. Tout en gardant la colonne vertébrale verticale, inspirez, puis, à l'expiration, tournez votre tête vers la droite en gardant le regard aligné vers le majeur de votre main droite. Votre regard est doux et fier. Observez le rythme de votre souffle.
6. Maintenez la posture de 30 à 60 secondes, puis refaites cette séquence de l'autre côté.

Mantra
Je suis le maître de mes émotions
et aujourd'hui je choisis le bonheur.

 ### Le danseur (NATARAJASANA)

Cette posture est pleine d'élégance et de grâce. Vous ressentirez une sensation de légèreté et de bonté en l'effectuant.

Position de départ: Dans la posture de la Montagne (debout, le corps bien droit, les bras le long du corps), respirez tout doucement pendant quelques respirations.

1. À l'inspiration, transférez votre poids sur le pied droit et, en même temps, levez le talon de votre pied gauche et ramenez-le vers votre fessier tout en pliant légèrement le genou gauche. Expirez.
2. À l'inspiration, posez votre regard sur un point fixe. Maintenez une vision large et rapprochée pour trouver votre équilibre. Expirez et, avec votre main gauche, attrapez le gros orteil de votre pied gauche ou l'extérieur de votre pied. Faites attention de ne pas comprimer le dos; tentez de trouver une position confortable pour vous dans le moment présent. Vous n'avez pas à lever votre genou très haut. Le coccyx est vers le sol et le regard est droit devant.
3. Inspirez, puis en expirant, poussez dans la main avec votre jambe; tendez le bras droit devant vous dans une ligne parallèle au sol, le pouce est vers le haut et la main est longue.
4. Maintenez la posture 30 secondes. Inspirez tout en ramenant la main droite le long de votre corps, puis en expirant, déposez la jambe gauche au sol.
5. Reprenez la position de la Montagne. Restez dans le moment présent pendant quelques respirations. Refaites la posture de l'autre côté.

Mantra
J'accueille en moi la liberté, l'énergie et la paix.

 ### La déesse (DEVIASANA)

Cette posture, toute en force et en énergie, vous rappellera que vous êtes responsable de votre propre bonheur. Elle vous permettra de mieux affronter les difficultés.

Position de départ: Dans la posture de la Montagne (debout, le corps bien droit, les bras le long du corps), respirez tout doucement pendant quelques respirations.

1. À l'inspiration, ouvrez les jambes très larges et tournez les pieds vers l'extérieur; les genoux sont bien alignés au-dessus des pieds.
2. À l'expiration, descendez en plié tout en gardant le corps et la tête bien droits dans le même axe. Assurez-vous que vos genoux sont dans le même angle que vos chevilles.
3. Inspirez en soulevant vos orteils et, à l'expiration, pressez les quatre coins de vos pieds uniformément dans le sol, vous assurant ainsi un soutien pour vos pieds et vos jambes dans la posture.
4. Ramenez les mains jointes, paumes l'une contre l'autre, devant votre sternum en position de Namaste (prière).
5. Maintenant, ouvrez les bras de chaque côté puis, doucement, amenez les bras en flexion, paumes vers l'avant; serrez le pouce et l'index ensemble. Votre menton est parallèle au sol et votre regard est doucement dirigé vers l'avant.
6. Maintenez la posture de 30 à 60 secondes. Revenez doucement dans la position de départ (la Montagne).

Mantra
Je suis forte et confiante ; j'accueille en moi l'amour et le bonheur.

Le corbeau (BAKASANA)

Une impressionnante posture à essayer puisqu'au fond, elle n'est pas si difficile… et elle vous fera assurément sourire! Elle apporte de la force et une grande concentration, tout en calmant l'esprit.

Position de départ: Dans la posture de la Montagne (debout, le corps bien droit, les bras le long du corps), respirez doucement pendant quelques respirations.

1. En gardant le haut des cuisses engagé, à l'expiration, penchez-vous vers l'avant en pliant les genoux et placez vos mains à plat sur le sol. Formez un carré avec les pieds et les mains.
2. Pliez les coudes pour pouvoir y placer vos jambes.
3. En inspirant, montez sur les orteils et calez vos genoux sur le haut de vos bras. Expirez.
4. En inspirant, déplacez lentement votre poids sur vos poignets. Expirez.
5. En inspirant, gardez le regard vers l'avant (et concentrez celui-ci sur un point devant vous).Toujours lentement, penchez-vous vers ce point, et amenez votre poids sur les mains. Expirez.
6. Inspirez. Transférez tout le poids du corps sur les mains et, à l'expiration, soulevez les pieds du sol (vous pouvez soulever un pied à la fois).
7. Respirez profondément. Si vous ne parvenez pas à soulever les pieds, donnez-vous du temps: avec la pratique, vous y arriverez!
8. Tenez la posture quelques secondes et relâchez doucement en déposant les pieds au sol. Revenez dans la posture de la Montagne.

 Mantra
J'accueille l'équilibre, la force et la joie en moi.

 ## *La posture de la déesse du sommeil* (SUPTA BADDHA KONASANA)

Cette posture vous demandera peu d'effort. Et pourquoi pas? Le monde est fou par moments, tout va si vite! Ressentez le calme et le temps qui s'arrête.

1. Allongez-vous au sol sur le dos. Prenez conscience de tout votre corps qui se dépose.
2. Pliez les genoux et déposez les pieds sur le sol. Inspirez.
3. À l'expiration, laissez les genoux ouvrir vers l'extérieur sans forcer (si la souplesse des hanches n'est pas au rendez-vous et que la position vous semble inconfortable, placez des coussins ou des couvertures roulés sous les genoux), puis pressez la plante de vos pieds ensemble; détendez-vous complètement.
4. Respirez à votre rythme, profondément. Prenez le temps qu'il vous faut. Rien ne presse. Ici. Maintenant. Tout est parfait.

Mantra
Je mérite d'être entourée de bonheur et d'énergie positive.

Un remerciement à Louis Michaud, instructrice de yoga, pour son aide dans la description des ces postures.

CHAPITRE 4

Objectif poids santé

Les astuces
d'Isabelle

Au Québec, près d'une femme sur deux affiche un excès de poids. L'excès de poids se définit par un indice de masse corporelle (IMC) supérieur à 25. Malheureusement, la proportion de femmes en surpoids ou obèses croît avec l'âge. De plus, le fait d'avoir un excès de poids augmente significativement les risques de diabète de type 2, de maladies cardiovasculaires et de plusieurs types de cancers. Atteindre et maintenir son poids santé, c'est donc bien plus qu'une question d'esthétisme! Et c'est un objectif que peuvent réaliser la plupart des femmes lorsqu'elles adoptent les bonnes stratégies!

1 Viser le bon IMC et le bon tour de taille

L'INDICE DE MASSE CORPORELLE (IMC)

Contrairement à ce que plusieurs femmes pensent, nul besoin de perdre toutes ses rondeurs pour atteindre un poids santé. En fait, la fourchette du poids santé est suffisamment large pour permettre une diversité corporelle. Par exemple, pour une femme mesurant 1,57 m (5 pi 2 po), le poids santé varie de 45 à 61 kg (100 à 135 lb), alors que pour une femme mesurant 1,65 m (5 pi 5 po), il est de 50 à 68 kg (de 111 à 149 lb).

Bon à savoir

Voici l'équation qui permet de calculer votre IMC : Poids (kg) / Taille (m)^2

Poids en fonction de la classification selon l'IMC

Classification	Poids en kg (lb) pour un individu de 1,57 m (5 pi 2 po)	Poids en kg (lb) pour un individu de 1,65 m (5 pi 5 po)
Poids insuffisant	< 45,6 (< 100)	< 50,4 (< 111)
Poids normal	45,6 – 61,4 (100 – 135)	50,4 – 67,8 (111 – 149)
Excès de poids	61,6 – 73,7 (136 – 162)	68,1 – 81,2 (150 – 179)
Obésité, classe I	73,9 – 86,0 (163 – 189)	81,4 – 95,0 (180 – 209)
Obésité, classe II	86,3 – 98,3 (190 – 216)	95,3 – 108,6 (210 – 239)
Obésité, classe III	> = 98,6 (> = 217)	> = 108,9 (> = 240)

Le poids santé est avant tout une mesure statistique. Un poids dit «normal» sera associé à une longévité accrue, alors qu'un poids insuffisant ou excédentaire nuira à l'espérance de vie en bonne santé, car il sera associé à un plus grand risque de maladies.

Risques pour la santé en fonction de l'IMC

Classification	Catégorie de l'IMC (kg/m²)	Risque de développer des problèmes de santé
Poids insuffisant	< 18,5	Accru
Poids normal	18,5 – 24,9	Moindre
Excès de poids/ obésité	25,0 et plus	Accru

LE TOUR DE TAILLE

Toutefois, l'IMC ne nous dit pas tout. La distribution corporelle des graisses est encore plus importante que le poids pour estimer les risques de développer certaines maladies chroniques. Lorsque le gras s'entrepose autour de la taille (gras viscéral), il devient problématique. C'est le cas chez les femmes après la ménopause. La chute en œstrogènes augmente l'adiposité et l'accumulation de gras viscéral. D'autres facteurs, comme un taux de cortisol élevé (souvent en lien avec le stress), sont aussi associés à un dépôt accru de gras au niveau de l'abdomen.

Dans le cadre d'une démarche santé, la mesure du tour de taille est primordiale. Une femme devrait viser un tour de taille inférieur à 80 cm (31,5 po). Il est conseillé de prendre régulièrement cette mesure.

À retenir

Tour de taille et risque pour la santé chez les femmes :

Plus de 80 cm (31,5 po) = Risque accru

Plus de 88 cm (35 po) = Risque accru de façon importante

Pour bien mesurer votre tour de taille, visionnez la vidéo du site de la Fondation des maladies du cœur : fmcoeur.com

À retenir

Les 5 critères d'un bon régime :

1. Il n'exclut aucun groupe alimentaire.

2. Il ne promet pas de perte supérieure à 0,9 kg (2 lb) par semaine.

3. Il mise sur des changements d'habitudes alimentaires à long terme.

4. Il encourage la pratique d'activités physiques.

5. Il est facile à suivre, peu importe le contexte social.

 Maigrir intelligemment

Bien des femmes aux prises avec des problèmes de poids sont tentées par les régimes restrictifs qui séduisent grâce à leurs promesses alléchantes de perte de poids rapide. Pourtant, les régimes amaigrissants trop faibles en calories (moins de 1200 calories par jour) ne sont pas recommandés. Ils imposent une privation trop importante pour être gages de succès à long terme. Pour bien choisir son régime, il faut porter un regard éclairé sur ses fondements et se demander s'il répond à cinq critères essentiels.

La prise en charge d'un problème de poids est facilitée par l'encadrement d'une équipe d'experts (nutritionnistes, kinésiologues). Les rencontres régulières permettent de soutenir la personne dans sa démarche, de répondre à ses interrogations et, surtout, de la motiver à persévérer.

 Adopter une nouvelle routine

Le régime choisi ne doit pas être vu comme un régime qui restreint, mais bien comme une nouvelle façon de manger qui permet d'être plus en forme. Modifier ses habitudes alimentaires, ce n'est pas seulement perdre du poids ; c'est également gagner en vitalité, améliorer la qualité de son sommeil et même rehausser son moral.

MES CONSEILS POUR FAIRE DU RÉGIME
UNE HABITUDE ALIMENTAIRE

→ *Inclure les membres de sa famille*

Lorsqu'on s'isole afin d'adopter une approche diététique différente de celle de la famille, l'engagement n'est que rarement à long terme. La découverte de nouveaux aliments, la réalisation de recettes santé et l'importance accordée aux repas sont des éléments à partager avec ses proches.

Avoir du plaisir

Si la restriction est telle que manger devient une activité peu agréable, voire déplaisante, mieux vaut changer d'approche. Le meilleur régime est celui qu'on aime! Et il variera selon les individus. Il est toujours mieux de continuer à avoir du plaisir en mangeant, quitte à perdre du poids moins rapidement.

Ne se couper d'aucune activité sociale

Pas question de refuser une invitation parce que vous surveillez votre poids! Les sorties, qu'elles soient au resto, chez des amis ou des membres de la famille, font partie de la vie et l'agrémentent. En apprenant à manger selon son appétit réel, on peut manger partout, sans nuire à son objectif de perdre du poids.

Essayez-le

Quelques conseils pour mieux choisir votre menu au resto:

→ Optez pour deux entrées, une belle façon de manger deux plats sans alourdir le bilan calorique.

→ Choisissez des plats qui incluent beaucoup de légumes. À défaut, optez pour une entrée composée de légumes (soupe, salade, tomates-bocconcini).

→ Profitez du talent du chef pour manger du poisson ou des fruits de mer, des aliments souvent négligés à la maison.

→ Commandez le vin au verre, une bonne stratégie pour être raisonnable. Un seul verre suffit souvent!

→ Prenez un cappuccino ou un thé vert en guise de dessert. Un petit chocolat accompagne le café? Pourquoi pas… puisque la portion est des plus raisonnables!

Miser sur les aliments qui favorisent la satiété

Le contrôle de l'appétit est régi par de nombreuses interactions entre des facteurs extérieurs (la vue des aliments, leur odeur), psychologiques et physiologiques. Plusieurs de mes clientes me confient avoir une faim intense et l'impression de ne jamais être rassasiées. Qu'à cela ne tienne! J'arrive toujours à hausser leur niveau de satiété avec quelques modifications du plan alimentaire. Voici quelques trucs à cet effet.

15 TRUCS POUR FAVORISER LA SATIÉTÉ ET LE CONTRÔLE DU POIDS

1. Hausser l'apport en protéines

La consommation de protéines active les circuits neuronaux conduisant à la sensation de satiété, tout en augmentant la thermogenèse (les calories dépensées à la suite de l'ingestion d'aliments). Les protéines doivent figurer à chacun des repas et des collations de la journée. Une étude a notamment démontré que la consommation d'œufs avec une rôtie le matin favorisait davantage la satiété durant la journée qu'un déjeuner composé de céréales froides, de lait et d'une rôtie, ou encore d'un croissant et d'un verre de jus d'orange. Toutes les sources de protéines (incluant les légumineuses) favorisent la satiété. En période de restriction énergétique, la consommation d'œufs pourrait faciliter la perte de poids.

2. Miser sur des aliments à faible indice glycémique

L'indice glycémique (IG) reflète la rapidité avec laquelle les glucides d'un aliment sont digérés, convertis et retrouvés sous forme de glucose dans le sang. On établit cet indice en comparant l'augmentation de la glycémie après l'ingestion de 50 g de glucides provenant d'un aliment avec l'augmentation de la glycémie après l'ingestion de 50 g de glucides provenant d'un aliment de référence (glucose ou pain blanc).

Bien que les résultats d'études sur le sujet soient encore controversés (certaines études démontrent un effet favorable; d'autres, aucun effet), l'inclusion d'aliments qui affichent un faible IG (voir le tableau ci-après) pourrait favoriser la satiété chez certaines personnes. Les légumineuses, les grains entiers, le lait, le yogourt nature ainsi que les noix comptent parmi les aliments à faible indice glycémique.

Indice glycémique (IG) des produits regroupés sous diverses catégories*

Catégorie d'aliments	IG faible (< 55)	IG moyen (55 à 70)	IG élevé (> 70)
Produits céréaliers			
Céréales	All Bran^MC, Bran Buds avec psyllium^MC, avoine épointée, son d'avoine	Shredded Wheat^MC, gruau rapide	Rice Krispies^MC, Corn Flakes^MC, Bran Flakes^MC, Cheerios^MC, avoine instantanée
Pains	Pain de grains mélangés à 12 grains, pain de blé entier moulu à la pierre, pumpernickel	Pain de blé entier, pain de seigle, pain au levain, pita	Pain blanc, bagel blanc, petit pain empereur
Riz/autres grains/pâtes	Pâtes cuites « al dente », nouilles, riz étuvé ou précuit, orge, boulgour	Riz basmati, riz brun, couscous	Riz instantané
Fruits et légumes			
Légumes	Patate douce, petits pois, igname	Carotte crue, pomme de terre au four avec la peau, patate nouvelle, maïs	Pomme de terre au four sans la peau, pomme de terre en purée, panais, rutabaga, courge d'hiver
Fruits	Pomme, orange, fraise, pêche, cerise, raisin	Banane, raisins secs, abricot	Melon d'eau, dattes sèches
Jus	Jus de pomme, jus d'orange, jus de pamplemousse, jus de tomate	Jus de raisin, cocktail de canneberge	
Produits laitiers			
	Lait, yogourt nature, yogourt aux fruits	Lait concentré sucré	
Légumineuses			
	Lentilles, haricots rouges, haricots de soya, pois chiches, fèves au lard, pois cassés		
Édulcorants			
	Fructose	Sucre de table (saccharose), cassonade, miel	Glucose (IG = 100)
Autres			
		Soupe aux pois, maïs soufflé	Galette de riz, pommes de terre frites, craquelins

*Sources : Institut canadien du sucre et Association canadienne du diabète.

3. Prioriser les fibres solubles

Les aliments contenant des fibres solubles pourraient favoriser la production d'hormones de satiété. C'est le cas notamment de l'avoine, de la graine de chia et du psyllium. Les fibres bêta-glucane de l'avoine seraient particulièrement efficaces. En raison de leur viscosité, le gruau et le son d'avoine cuits auraient un effet supérieur à celui des céréales froides composées d'avoine.

Les meilleures sources de fibres solubles, selon diverses catégories d'aliments*

Aliment	Portion	Quantité de fibres solubles
Fruits et légumes		
Fruit de la passion	125 ml (½ tasse)	6,5 g
Avocat	½ fruit	2,1 g
Choux de Bruxelles, cuits	125 ml (½ tasse)	2,0 g
Figues sèches	60 ml (¼ tasse)	1,9 g
Orange	1 fruit moyen	1,8 g
Patate douce, sans la pelure, cuite	125 ml (½ tasse)	1,8 g
Asperges, cuites	125 ml (½ tasse)	1,7 g
Navet, cuit	125 ml (½ tasse)	1,7 g
Produits céréaliers		
Bran Buds avec psyllium	30 g (⅓ tasse)	2,7 g
Son d'avoine, cuit	175 ml (¾ tasse)	2,2 g
Flocons d'avoine	250 ml (1 tasse)	1,5 g
Gruau, cuit	175 g (¾ tasse)	1,4 g
Viandes et substituts		
Haricots noirs, cuits	175 ml (¾ tasse)	5,4 g
Haricots de Lima, cuits	175 ml (¾ tasse)	5,3 g
Fèves de soya, rôties	60 ml (¼ tasse)	3,5 g
Petits haricots ronds blancs, cuits	175 ml (¾ tasse)	3,3 g
Haricots Pinto, cuits	175 ml (¾ tasse)	3,2 g
Tofu, cuit	175 ml (¾ tasse)	2,8 g
Pois chiches, cuits	175 ml (¾ tasse)	2,1 g
Graines de lin, entières	15 ml (1 c. à soupe)	0,6-1,2 g
Graines de lin, moulues/broyées	15 ml (1 c. à soupe)	0,4-0,9 g
Suppléments		
Enveloppes de psyllium moulues	15 ml (1 c. à soupe)	3,5 g
Metamucil	15 ml (1 c. à soupe)	3,4 g

*Source: Les diététistes du Canada.

4. Minimiser la consommation d'alcool

L'alcool a un effet dépresseur sur le système nerveux central. Il pourrait altérer les signaux de faim et de satiété. Consommé avant un repas, il stimulerait l'appétit. De plus, des études ont démontré que les calories prises sous forme d'alcool s'ajoutaient à celles de la journée. Bien qu'il soit une source de plaisir pour plusieurs, l'alcool peut nuire au contrôle du poids.

5. Boire du thé vert

Les études faites sur des animaux démontrent que le thé vert, grâce à ses composantes catéchines et théine, stimule la thermogenèse, favorisant la dépense énergétique. Bien que les effets soient plus modestes chez l'humain, la consommation de thé vert pourrait aider à atteindre et à maintenir un poids santé.

6. Pimenter ses repas

L'ajout de piment fort, dont la composante active est la capsaïcine, augmente la sensation de plénitude et pourrait ainsi favoriser un meilleur contrôle alimentaire. Une étude a démontré notamment qu'une entrée épicée pourrait réduire significativement l'apport énergétique au cours du repas. Dans une étude d'observation, la consommation de plats épicés a aussi été associée à une longévité accrue.

7. Accorder aux légumes une large place dans l'assiette

Les légumes ont une faible densité énergétique: ils apportent peu de calories par gramme. Un régime sain ne restreint aucun légume, même les plus sucrés. Les légumes doivent être inclus aux repas et même aux collations. Rappelons qu'ils sont aussi associés à une réduction des risques de cancer et de maladies cardiovasculaires. Midi et soir, ils devraient composer la moitié de l'assiette.

8. Combler ses besoins en calcium

Un apport élevé en produits laitiers peut faciliter la perte de poids dans le cadre d'un régime hypocalorique. Les produits laitiers contribuent à réguler l'apport alimentaire. Leur contenu en calcium pourrait faire en sorte qu'on absorbe moins le gras de notre nourriture. Incorporer quotidiennement 3 portions de produits laitiers ou un supplément de calcium serait particulièrement efficace chez les personnes qui ont de faibles apports en calcium.

9. Consommer 2 ou 3 collations par jour

Les collations comportent de nombreux avantages. Entre autres, elles permettent de stabiliser la glycémie et de limiter les fringales. Je propose souvent à mes clientes une collation en matinée et une ou deux collations en après-midi. J'inclus régulièrement des noix car, bien qu'elles soient riches en calories, elles ne favorisent pas un gain de poids, probablement parce qu'elles contribuent à la satiété. Reportez-vous au chapitre 1 pour des idées de collations rassasiantes.

10. Intégrer les probiotiques

De récentes recherches semblent indiquer que le microbiote (ou l'ensemble des bactéries dans l'intestin) des personnes obèses est différent de celui des personnes minces. On s'intéresse de plus en plus à la composition de la flore intestinale dans le contrôle du syndrome métabolique et du surpoids. Bien que nous n'en soyons encore qu'à un stade préliminaire, ce champ de recherche est très stimulant. L'ajout de probiotiques au quotidien pourrait favoriser le contrôle de la glycémie et la gestion du poids. Reste à préciser les souches de probiotiques les plus efficaces et la concentration optimale.

11. Ralentir le rythme d'ingestion

Le conseil ne date pas d'hier : il faut prendre au moins 20 minutes pour manger, le temps que le cerveau reçoive le signal qu'on a suffisamment pris de nourriture. Notre vie trépidante amène plusieurs personnes à avaler les aliments à toute vitesse, plutôt que de les déguster.

3 trucs pour manger plus lentement

→ **Manger avec des baguettes.** Ce n'est pas tout le monde qui est habile avec les baguettes ! Forcément, le rythme d'ingestion ralentit.

→ **Déposer régulièrement sa fourchette au cours du repas.** En France, la fourchette 10SFork est de plus en plus populaire pour le contrôle du poids. Elle se met à vibrer quand moins de 10 secondes s'écoulent entre deux bouchées. Une façon cocasse d'apprendre à ralentir.

→ **S'attabler.** On évite ainsi de manger sur le pouce au coin du comptoir ou devant la télé. On prend soin de dresser la table joliment pour en faire une expérience agréable.

12. Éviter les distractions en mangeant

Les études le prouvent : on mange davantage lorsqu'on prend son repas en regardant la télévision ou en étant absorbé par une autre activité. Alors mieux vaut casser la croûte dans la salle à manger, le bar ou la cuisinette que sur le canapé !

13. Opter pour de petites assiettes

Une assiette bien garnie nous donne l'impression que le repas est bien fourni. On a toujours tendance à mettre de plus grosses portions quand l'assiette est grande. Considérant, selon le *Journal of Consumer Research,* que la taille des assiettes ne cesse d'augmenter depuis 1900, il est sage de se procurer des assiettes de plus petites dimensions.

14. Bien dormir

Le sommeil influe sur l'appétit. Un manque de sommeil affecte les hormones de régulation de l'appétit et stimule la consommation d'aliments riches en glucides. Il peut ainsi nuire à la poursuite d'un régime amaigrissant. On tente donc de dormir de 7 à 9 heures par nuit. Reportez-vous au chapitre 3 afin de connaître des astuces pour mieux dormir.

15. Gérer son stress

Le stress chronique hausse les taux de cortisol, lesquels augmentent l'appétit, surtout pour des aliments de pauvre valeur nutritionnelle. Le stress favorise aussi l'accumulation de graisses viscérales, selon le Centre d'études sur le stress humain de l'Institut universitaire en santé mentale de Montréal.

Contrôler ses rages alimentaires

Selon un rapport sur les maladies mentales au Canada, 2 % de la population souffrirait d'hyperphagie boulimique, un trouble alimentaire qui se caractérise par la consommation compulsive d'une grande quantité de nourriture dans un court laps de temps, et ce, sans comportement compensatoire (vomissement, activité physique intense, usage de laxatifs). Un sentiment de culpabilité en découle. Ce problème touche davantage les adultes que les adolescents.

Les personnes qui souffrent d'anxiété ou de dépression et celles qui ont fait plusieurs régimes très restrictifs présentent plus de risques de souffrir d'hyperphagie. Si l'on ajoute toutes les femmes qui perdent le contrôle à l'occasion face à la quantité de nourriture consommée, le pourcentage des personnes atteintes est beaucoup plus élevé. Bref, sans tomber dans les critères diagnostiques de l'hyperphagie boulimique, on peut avancer que la compulsion alimentaire est très fréquente.

Les femmes ont beaucoup plus tendance à « manger leurs émotions » que les hommes. Plusieurs facteurs peuvent déclencher une perte de contrôle : une remarque blessante, la fatigue, l'ennui, la solitude, etc.

Ne jamais sauter de repas

Le fait de sauter un repas peut considérablement augmenter les fringales dans la journée. Plusieurs femmes tentent de limiter considérablement leur apport énergétique durant le jour, mais finissent par craquer le soir. Non seulement on ne doit pas sauter de repas, mais on doit manger suffisamment à chacun d'eux.

Ne pas passer plus de 3 heures sans manger

Pour diminuer le risque de compulsion alimentaire, je propose de manger aux 3 heures. Les collations qui apportent des glucides et des protéines sont à privilégier. En prévenant les chutes de glycémie, on optimise le contrôle alimentaire.

Éviter de conserver des aliments déclencheurs

Ces aliments varient selon les femmes. Pour certaines, c'est le pot de Nutella; pour d'autres, ce sont la crème glacée ou les biscuits. La consommation de ces aliments amène une perte de contrôle chez certaines. Quand les compulsions sont fréquentes (plusieurs fois par semaine) chez une cliente, je limite l'accès aux aliments déclencheurs. Au fil du traitement, on les réintroduit progressivement.

Manger socialement

La «mangeuse compulsive» perd rarement le contrôle devant les autres. Elle est plutôt ultra-sage et mange de façon très modérée. Or, quand les invités ou la famille s'éclipsent, son comportement change radicalement. Par exemple, elle mangera une seule bouchée de gâteau devant son groupe d'amies, mais engouffrera deux gros morceaux une fois qu'elle sera seule! J'aime bien réintroduire les aliments problématiques au restaurant ou chez des amis dans un premier temps. Le fait de ne pas en avoir à la maison limite considérablement les pertes de contrôle quand la personne se retrouve seule.

 *Éliminer la pensée «tout ou rien»*

→ « J'ai mangé une barre de chocolat, ma journée est foutue!»
→ « Tant qu'à avoir succombé au pain mollet du resto, aussi bien me payer la totale et me remettre au régime demain...»
→ « J'ai mangé un croissant ce matin, je suis incapable de respecter mon plan alimentaire, je suis nulle!»

Ces exemples illustrent bien les pensées automatiques des femmes aux prises avec des compulsions. Elles ont l'impression que la consommation d'un seul aliment, qu'elles considèrent comme «interdit», détruit toute leur journée. Et tant qu'à être dans le négatif, aussi bien s'empiffrer toute la journée! Cette pensée du «tout ou rien» ne fait qu'entraver le travail sur l'estime de soi.

La restructuration cognitive permet de changer sa façon de penser afin qu'elle soit moins destructrice. Voici des exemples :

→ « J'ai mangé une barre de chocolat, ma journée est foutue!»
Restructuration : «J'adore le chocolat, il me procure beaucoup de plaisir. J'ai savouré un bon morceau de chocolat aujourd'hui et ça m'a fait du bien.»

→ « Tant qu'à avoir succombé au pain mollet du resto, aussi bien me payer la totale et me remettre au régime demain...»
Restructuration : «J'avais un peu trop faim en arrivant au resto. J'ai omis de prendre ma collation, comme Isabelle me l'a suggéré. Je vais opter pour le poulet cacciatore au lieu des pâtes et ma démarche de perte de poids ne sera pas affectée.»

→ « J'ai mangé un croissant ce matin, je suis incapable de respecter mon plan alimentaire, je suis nulle!»
Restructuration : «Je mange du pain de grains entiers toute la semaine. Ce matin, j'avais envie d'un croissant à la confiture et je me suis fait plaisir. C'est correct de manger un croissant à l'occasion.»

Modifier ses pensées fait partie des stratégies pour améliorer sa relation avec les aliments. En cas d'hyperphagie, je conseille le suivi avec un psychologue spécialisé qui mise sur l'approche cognitivo-comportementale.

Passez à la cuisine!

Vous trouverez, à la fin de ce livre, des recettes simples et délicieuses spécialement conçues pour les femmes qui veulent perdre quelques kilos ou maintenir un poids santé à long terme.

DES DÎNERS ET DES SOUPERS À MOINS DE 350 CALORIES
→ Soupe asiatique (p. 214)
→ Taboulé de chou-fleur (p. 223)
→ Poivron farci au quinoa (p. 229)
→ Courgette farcie (p. 232)
→ Spaghetti de courgettes (p. 247)

DES DESSERTS SANS CULPABILITÉ
→ Pouding quinoa-coco (p. 255)
→ Clafoutis aux framboises (p. 256)
→ Yogourt glacé aux bleuets (p. 257)

VOICI UN EXEMPLE DE MENU QUOTIDIEN QUI POURRAIT ÊTRE CONSTRUIT À PARTIR DES RECETTES MINCEUR:

Ma journée minceur

Déjeuner	Collation am	Dîner	Collation pm	Souper	Collation soir
Gruau + 250 ml (1 tasse) de lait + 1 nectarine	250 ml (1 tasse) de fraises + 125 ml (½ tasse) de yogourt nature + 10 ml (2 c. à thé) de graines de chia	Soupe asiatique (p. 214) + ½ mangue	Crudités + 50 g (1 ¾ oz) de fromage allégé	Spaghetti de courgettes (p. 247) + Poivrons rouges grillés + Pouding quinoa-coco (p. 255)	Un verre de lait

Les astuces
de *Josée*

Le poids idéal représente, depuis toujours, l'une des plus grandes préoccupations des femmes. Pourtant, ce poids n'a jamais été clairement établi. À une certaine époque, les femmes rondes, que l'on voit sur les toiles de peintres célèbres, symbolisaient la richesse, le prestige, l'abondance et le… bonheur! Dans les années 1960 et 1970, l'idéal proposé, c'était la femme filiforme. Vous vous souvenez peut-être de Twiggy? Heureusement, on a laissé ce modèle derrière nous! Les temps comme les modes changent.

Alors, quel est donc le poids idéal pour la femme? Est-ce un chiffre en particulier? Est-ce plutôt une image? Comment pourrait-on, un jour et une fois pour toutes, statuer sur ce sujet? Surtout, comment se fait-il que tant de femmes (plus de 80%) ne sont pas satisfaites de leur apparence? Quelle est donc cette quête si grande et si puissante du physique idéal?

Au fond, tout est relatif et le poids ne fait pas exception. Ce poids idéal que l'on voudrait atteindre dépend de plusieurs choses, notamment de facteurs psychologiques qui peuvent remonter loin dans notre cheminement, parfois jusqu'à l'enfance. En cours de route, nous avons toutes été influencées par différents discours et regards sur le physique et l'image de la femme. Notre perception du poids parfait peut dépendre aussi de notre vie actuelle, de notre boulot, de notre entourage, de nos intérêts… Tout ce qui gravite autour de nous peut avoir un impact sur notre image corporelle et sur notre désir de transformation.

À l'heure actuelle, dans les médias, on sent une volonté grandissante d'encourager la diversité corporelle. Le mouvement est brillant, mais il s'installe lentement. Les couvertures de magazines changent peu à peu, bien qu'il arrive encore fréquemment d'y voir des mannequins trop minces qui lancent une image déroutante aux femmes, jeunes et moins jeunes.

La recherche du poids idéal est donc omniprésente dans nos vies, dans nos pensées et même dans nos rêves. Et si on lui donnait un autre sens? Si, plutôt que de le relier à une allure ou à une image, on l'associait à un état plus global: la santé? Voilà qui donnerait un sens bien plus crédible et essentiel à notre recherche.

Faire les bons calculs

L'indice de masse corporel (IMC), le tour de taille, le pourcentage de gras corporel… toutes ces données ont un lien avec notre poids et un effet direct sur notre santé, notre espérance de vie ainsi que sur notre qualité de vie.

Arrêtons-nous un moment sur ces données et sur les calculs qui y sont rattachés.

Un des objectifs majeurs de toute démarche de calcul du poids santé est la réduction du gras abdominal. Voilà notre principal ennemi, celui qu'il faut chercher à réduire. Des études ont clairement démontré que c'est ce gras qui nous met à risque pour les maladies coronariennes, et non pas le gras que l'on accumule aux fesses ou aux cuisses.

Quelle ironie lorsqu'on pense au peu de sérieux qu'accordent les hommes à leurs «poignées d'amour», alors que nous, les femmes, avons un grand talent pour dramatiser la graisse que nous avons sur les cuisses et les hanches! Pourtant, cette dernière est beaucoup moins alarmante pour notre santé.

LE RATIO TAILLE / HANCHES

Le calcul de votre ratio taille/hanches (RTH) est un excellent complément à l'IMC et est un bon indicateur du risque que représente votre poids pour votre santé.

Voici comment calculer votre RTH :

1. Mesurez votre tour de taille en plaçant le ruban au niveau de votre nombril.
2. Mesurez maintenant votre tour de hanches; prenez la mesure là où le chiffre obtenu est le plus grand.
3. Faites le calcul suivant: divisez votre tour de taille par votre tour de hanche. Ce résultat vous fournit votre RTH.

Les risques pour la santé basés sur le rapport taille/hanches (RTH)

RTH		
Hommes	**Femmes**	**Risques pour la santé***
0,95 ou moins	0,80 ou moins	Faible risque
0,96 à 1,0	0,81 to 0,85	Risque modéré
1,0 et plus	0,85 et plus	Haut risque

* Risque de présenter certaines maladies telles que le diabète de type 2, l'hypertension, la dyslipidémie, les maladies cardiovasculaires, le cancer, l'arthrose, etc.

LE CALCUL DU POURCENTAGE DE GRAS CORPOREL

Il existe plusieurs méthodes pour calculer votre pourcentage de gras corporel. Elles sont toutes plus ou moins efficaces et, surtout, plus ou moins accessibles. Le meilleur moyen demeure le test effectué par un entraîneur qualifié avec les pinces de plis cutanés.

Quant aux balances à impédancemétrie, elles sont bien simples, mais leurs résultats demeurent très variables. Elles fonctionnent à l'aide d'un courant électrique minime qui traverse le corps. Comme le courant sera plus rapide s'il y a plus de muscles, et plus lent s'il y a plus de graisse, l'appareil va faire une estimation de la graisse présente dans le corps.

On peut aussi, dans des laboratoires bien équipés, faire une pesée hydrostatique. On vous pèse sous l'eau après vous avoir pesée au sol. Puisque les muscles sont plus lourds que la graisse, on calcule la différence et le déplacement de l'eau à l'aide d'une formule précise, puis on évalue votre pourcentage de graisse

Depuis quelque temps, on utilise aussi en laboratoire le Bod pod. Alors que vous êtes assise dans une sorte de capsule, on mesure le déplacement de l'air pendant 20 secondes et on calcule la masse grasse.

Tout comme le ratio taille/hanches, le calcul du pourcentage de gras peut vous donner une indication des risques de maladies encourus.

Pourcentage de graisse et condition physique

Catégories	Femmes	Hommes
Gras essentiel	10 à 12 %	2 à 4 %
Athlète	14 à 20 %	6 à 13 %
Bonne condition physique	21 à 24 %	14 à 17 %
Condition physique acceptable	25 à 31 %	18 à 25 %
À risque	32 % et +	25 % et +

2 Cibler les exercices qui font vraiment maigrir

Le thème des exercices « qui font maigrir » a fait couler beaucoup d'encre au cours des dernières années et plusieurs croyances à ce sujet sont à revoir. Voici un petit jeu-questionnaire pour vérifier si vos connaissances à ce sujet sont à jour.

Vrai ou Faux?

1- Il est important de cibler des exercices cardio se situant entre 60 et 85 % de votre fréquence cardiaque maximale pour brûler des graisses comme source d'énergie

Faux

Nous savons désormais que c'est le déséquilibre énergétique qui nous permet de diminuer notre pourcentage de gras corporel. Le calcul est bien simple : on maigrira si la somme des calories que l'on a dépensées au cours d'une journée dépasse la somme des calories que l'on a ingérées.

2- Je ne peux pas maigrir du ventre en faisant des exercices pour les abdominaux.

Vrai

là aussi, on a longtemps cru que les «abdos» permettaient de perdre du poids localement. On voit encore des publicités qui font des promesses aussi tentantes que trompeuses : «Perdez votre ventre en quelques semaines avec l'Ab Machin» ou bien «Perdez enfin votre graisse grâce à ces exercices extraordinaires ! »... Beaucoup d'argent dépensé pour rien.

La vérité, c'est que le muscle est sous la graisse, et qu'il y restera ! De plus, les exercices de musculation ciblés pour une zone en particulier ne feront pas diminuer la graisse accumulée dans cette même zone.

Autrement dit, ce n'est pas en faisant chaque jour 100 enroulés pour les abdos que vous allez perdre votre ventre. De la même façon, des exercices de renforcement pour les cuisses ne vous permettront pas de diminuer la couche adipeuse qui les recouvre.

La seule façon de faire une différence, c'est en adoptant une meilleure alimentation, de meilleures habitudes de vie et un programme d'exercices qui vous fera dépenser un nombre élevé de calories.

3- Pour maigrir des cuisses et des fesses, les meilleurs exercices sont le vélo, les escaliers, et tout ce qui fait travailler les jambes de façon intense.

Faux

Même principe : ce n'est pas parce que vous travaillez fort avec vos jambes que vous allez maigrir des jambes ! Il est vrai de penser que l'endurance musculaire des muscles sollicités sera améliorée, mais il n'y aura pas de perte de graisse localisée.

4- Si l'entraînement est trop intense, je ne brûlerai pas de graisse.

Faux

Au contraire, revoyez le point 1. Si l'entraînement est intense, vous brûlerez plus de calories. Là où le défi sera plus grand, c'est sur le plan émotif puisqu'un entraînement très intensif demande une très grande détermination, ce qui est parfois difficile à maintenir. La motivation n'est pas toujours au rendez-vous quand on sait qu'on va «souffrir un peu»!

5- Tous les moments de la journée sont bons pour mon entraînement si je veux perdre du poids.

Vrai

Avouez que vous avez hésité. En fait, il y a eu une tendance, il n'y a pas si longtemps, qui disait que l'entraînement du matin était plus efficace en ce qui concerne la dépense énergétique. On a ensuite vite constaté que c'était faux et qu'au fond, le moment idéal est celui qui vous convient, à vous... pas aux autres. Si c'est le soir qui est un bon moment pour vous entraîner, pour toutes sortes de raisons familiales ou personnelles, eh bien, il faut vous entraîner le soir. Ainsi, vous mettez toutes les chances de votre côté pour rester motivée et maintenir cette précieuse assiduité.

Il est déjà bien assez difficile d'intégrer 2 à 3 séances d'exercices dans son horaire hebdomadaire, imaginez si, en plus, il fallait qu'on vous impose le moment de la journée!

6- Pour perdre du poids, je devrais faire plus de cardio que de musculation.

Faux

La musculation peut avoir un effet important sur votre poids parce qu'elle vous permet d'augmenter votre dépense énergétique. Le lien avec le métabolisme de base sera abordé à l'astuce 3, mais sachez que le rôle le plus important de la musculation, si votre objectif est de perdre du poids, c'est la force et la puissance qu'elle vous procure. Des muscles plus forts et plus endurants vous permettront de dépenser plus d'énergie lors d'un exercice donné.

Il est vrai qu'un muscle entraîné et fort est une petite fournaise et qu'il brûle constamment des calories, même au repos, mais il semble que l'impact sur le métabolisme de base ne soit pas aussi significatif que nous le souhaitions tous au cours des dernières années. Alors, plutôt que de penser à la musculation comme s'il s'agissait d'un acte directement associé à un métabolisme plus élevé, il faut désormais percevoir la musculation

comme un outil nous permettant d'augmenter notre dépense énergétique – en plus, bien sûr, de tous ses autres précieux rôles non reliés à la perte de poids.

7- Si je souhaite diminuer la grosseur de mes bras, je devrais cesser de faire des exercices de musculation pour les membres supérieurs.

Faux

Trop de femmes croient à tort que la musculation fera grossir leurs bras, ou encore leurs cuisses. En vérité, il faut un taux élevé de testostérone dans le sang pour permettre à un muscle de prendre du volume. Les femmes, en général, ont peu de testostérone et elles arrivent très difficilement à prendre du volume musculaire. Mais avec le bon programme, elles pourront tonifier et découper les muscles ciblés.

8- La musculation fera disparaître la cellulite en tendant la peau.

Faux

Ou vrai peut-être si vous devenez une véritable machine et que vous transformez littéralement votre corps! Sinon, comme je le mentionnais dans le point précédent, il sera très difficile de faire suffisamment de musculation pour arriver à gonfler vos muscles au point de tendre la peau.

 Mieux comprendre son métabolisme

Vous avez sans doute déjà entendu des gens blâmer leur métabolisme «trop paresseux» pour leur surplus de poids. Il est vrai que le métabolisme est directement lié au poids, mais, contrairement à la croyance populaire, un surplus de poids est rarement la conséquence unique d'un métabolisme trop lent. Même si le métabolisme a un impact sur les fonctions de base du corps humain et ses besoins en énergie, c'est le rapport entre les aliments ingérés et la dépense énergétique quotidienne qui, ultimement, détermine le poids du corps.

Révisons les faits… Le métabolisme est le procédé hautement complexe pendant lequel votre corps transforme en énergie tout ce que vous mangez et buvez. Même au repos, le corps dépense une énorme quantité de calories pour maintenir toutes les fonctions vitales actives: respirer, digérer, activer la circulation sanguine, réparer des cellules abîmées… Cette dépense en calories se nomme le «métabolisme de base» ou «métabolisme basal».

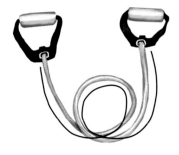

Plusieurs facteurs l'affectent :

→ Votre grandeur, votre poids et la composition de votre corps ;
→ Votre sexe : les hommes ont généralement un pourcentage de gras moins élevé que les femmes et une masse maigre (en muscles notamment) plus importante ; ils brûlent plus de calories chaque jour ;
→ Votre âge : à mesure que nous vieillissons, notre volume musculaire diminue et notre masse graisseuse tend à augmenter, ce qui fait ralentir notre métabolisme de base.

Les besoins en énergie pour les fonctions vitales varient très peu. Ils représentent environ 70 % des calories que vous brûlez chaque jour. C'est par les activités physiques variées, au programme de la journée, que vous réussirez à dépenser encore plus de calories.

Même s'il est vrai que certaines personnes semblent avoir plus de facilité à perdre du poids que d'autres, en bout de ligne, chaque individu peut perdre du poids s'il dépense plus de calories qu'il n'en consomme. Il faut donc chercher à créer un « déficit énergétique » quotidiennement. Si nous ne pouvons pas contrôler notre métabolisme basal, ou très peu, nous pouvons au moins contrôler notre niveau d'activité physique et notre alimentation.

En fin de compte, les gens dont on dit qu'ils ont un métabolisme plus rapide que les autres sont probablement, dans les faits, des gens simplement plus actifs.

Le déséquilibre énergétique, en bref...

On sait que 454 g (1 lb) de graisse correspond à 3 500 calories. Si on envisage de perdre environ 0,45 kg (1 lb) par semaine, on pourrait, avec un calcul mathématique fort simple, conclure qu'un déséquilibre énergétique de 500 calories par jour pourrait être une solution (puisque 7 jours X 500 calories = 3 500 calories).

ATTENTION : Ces calculs sont très relatifs. On ne peut pas faire un chiffre aussi rond et aussi élémentaire sans connaître une foule de facteurs qui pourraient influencer les résultats. Mais cela ne nous empêche pas de faire la réflexion, n'est-ce pas ? Elle ne peut que nous aider à comprendre la différence entre l'apport en aliments et la dépense en calories. Vous trouverez ci-dessous quelques exemples, avec, encore une fois, des chiffres très relatifs, vous donnant tout de même un point de départ pour vos calculs.

Comment créer ce déséquilibre énergétique ? Voici 3 façons :

1. Ajouter une activité physique équivalant à une dépense de 250 calories + retrancher 250 calories de son alimentation (les 4 biscuits, le muffin ou le verre de lait au chocolat, par exemple).
2. Ajouter une activité physique équivalant à une dépense de 500 calories.
3. Retrancher 500 calories dans son alimentation.

La solution la plus accessible ? La première !

Essayez-le

Voici des façons de brûler environ 100 calories par l'activité physique. À vous de faire vos propres combinaisons !

→ Marche rapide : 15 minutes.

→ Monter les escaliers en courant : 7 minutes.

→ Sauter à la corde : 10 minutes.

→ Le jogging : le temps de courir 1,6 km (1 mi).

→ Le vélo : 10 minutes à environ 20 km/h (12 ½ mi/h).

→ Le power yoga : 25 minutes.

→ Le patin à roues alignées : 10 minutes à 19 km/h (12 mi/h).

→ Couper du bois : 20 minutes.

→ Danser : 20 minutes.

→ Jouer aux quilles : 30 minutes (sans trop d'arrêts).

→ Nager le crawl : 10 minutes.

→ L'elliptique : 10 minutes à bonne intensité.

→ L'entraînement par intervalles :
1 min de sprint + 1 min de pompes X 5 = 10 minutes.

→ Le step (l'équivalent d'une marche d'escalier) :
10 minutes à 20 cm (8 po) de hauteur.

4 Découvrir et pratiquer le « NEAT »

Grâce à la recherche scientifique récente, nous connaissons désormais un nouveau terme qui a un impact indéniable sur notre poids et sur notre condition physique : le N E A T (acronyme de *non exercise activity thermogenesis*). Le terme anglophone pourrait être traduit ainsi : la thermogenèse d'origine autre que l'exercice planifié.

Mais qu'est-ce que cette thermogenèse d'origine autre que l'activité physique, communément appelée « NEAT » ? C'est la dépense d'énergie provenant de toutes les autres activités que nous ajoutons à nos journées et qui ne sont pas des moments de sports planifiés : le jardinage, le ménage, la marche jusqu'au travail, les escaliers, le travail non sédentaire et les jeux avec les enfants. Tout compte… et bien plus qu'on ne le croyait.

Pour perdre du poids, nous savons qu'il importe de créer quotidienne-ment un «déficit énergétique» en dépensant plus de calories qu'on en ingère.

Les calories que nous brûlons chaque jour dépendent de trois facteurs:

1. Le métabolisme basal, qui est responsable de 60 à 75% de la dépense énergétique quotidienne. Le total de calories brûlées varie principalement en fonction du poids de l'individu.
2. La thermogenèse alimentaire, qui représente les calories brûlées par les fonctions digestives; cela correspond à environ 10% de la dépense énergétique quotidienne.
3. L'activité physique, qui se divise elle-même en deux catégories:
    a) Les activités planifiées, comme votre cours en groupe ou votre partie de tennis;
    b) La thermogenèse autre que l'activité physique planifiée, le NEAT.
    La combinaison de ces deux composantes engendre une dépense énergétique se situant entre 15 et 30%.

Le documentaire *The Truth about Exercise* (La vérité sur l'exercice), pro-duit et réalisé par Toby MacDonald de la BBC, a récemment démontré l'importance du NEAT en présentant les points de vue de chercheurs de partout aux États-Unis. Ils affirmaient unanimement qu'un individu qui bouge à chaque occasion qui se présente à lui au cours de sa journée de travail, chaque jour et plusieurs fois par jour, peut limiter son programme d'entraînement en salle de conditionnement physique à 2 fois par se-maine et être en meilleure condition physique globale qu'un autre indivi-du totalement sédentaire, sauf pour ses 4 séances d'entraînement hebdomadaires en salle. La différence se situe justement dans le NEAT. Voilà qui change notre perspective sur l'activité physique!

La thermogenèse au boulot, en quelques exemples…

→ Travail assis (sans possibilité de bouger)* = 300 cal./jour.

→ Travail de bureau régulier** = 700 cal./jour.

→ Travail debout (p. ex. à une caisse) = 1400 cal./jour.

→ Travail physique (p. ex. sur une ferme) = 2400 cal./jour.

*Approximation pour une journée de 7 heures de travail sédentaire qui ne permet aucun déplacement (p. ex. une réceptionniste qui doit demeurer à son poste téléphonique).

**Approximation pour une journée de 7 heures de travail avec déplacements réguliers (p. ex. aller vers le bureau d'un collègue ou se rendre en salle de conférence).

 5   Soulever des haltères

De plus en plus de femmes prennent désormais leur place sur les pla-teaux de musculation. Elles ont compris que les bienfaits sont nombreux, pour elles comme pour les hommes. En ce qui concerne la perte de poids, ne vous inquiétez pas: en faisant de la musculation, vous perdrez plus de graisse que vous gagnerez de masse musculaire. Une femme qui fait de la musculation 2 ou 3 fois par semaine, pendant 8 semaines, prendra 0,8 kg (1 ¾ lb) de masse musculaire et perdra 1,5 kg (3 ½ lb) de graisse. Comme les femmes ont de 10 à 30 fois moins de testostérone que les hommes, elles développent beaucoup moins leurs muscles.

Les nouveaux tissus musculaires que vous construisez ainsi vous permettront de retarder la diminution de votre métabolisme basal en vieillissant. Les muscles ont tendance à s'atrophier au fil des années. Ils deviennent plus petits, moins forts. Ceux que vous entretenez grâce à votre programme de musculation vous permettent de dépenser plus d'énergie chaque jour alors que vous les utilisez. Pensez à tout ce que vous pourrez soulever, manipuler, déplacer, comme les sacs d'épicerie et les enfants, et aux différentes tâches que vous accomplirez dans votre journée...

En plus, on sait que le muscle au repos est actif et favorise un plus grand métabolisme basal, même si l'augmentation n'est pas énorme.

 Faire du cardio

Vous savez que vous devez faire du cardio, mais au fond, ce qu'il faut vraiment savoir, c'est qu'il y a deux excellentes raisons de travailler en aérobie:

→ D'abord parce que vous brûlez des calories pendant l'effort;
→ Ensuite parce qu'un meilleur système cardiorespiratoire vous permet d'être plus active dans vos journées et de dépenser, justement, plus de calories!

Bon à *savoir*

L'entraînement cardiovasculaire ou aérobique est un entraînement qui sollicite les grandes masses musculaires du corps afin d'augmenter la demande en oxygène (d'où le terme aérobie). Si cette demande est constante pendant plusieurs minutes, l'exercice devient aérobique.

Des activités comme le tennis ou le ski alpin ou encore les sports d'équipe peuvent engendrer une grande dépense énergétique, mais elles ne sont pas considérées comme aérobiques parce que leur source principale d'énergie n'est pas l'oxygène.

Cela dit, selon la dépense énergétique engendrée, ces activités sont, bien entendu, de très bons choix dans le cadre d'un programme de perte de poids.

⑦ Éviter les « récompenses » à l'effort

Si vous êtes convaincue de tout faire ce que vous devez pour perdre du poids et que vous faites de l'exercice régulièrement, votre possible déception réside probablement dans une explication bien simple. Voici en effet les conclusions de chercheurs de l'Université de l'Arizona qui ont demandé à 81 participantes en surpoids de suivre un programme d'entraînement de 12 semaines. Elles devaient utiliser le tapis roulant 3 fois par semaine à une intensité relativement élevée sans rien changer à leur alimentation.

L'étude a démontré que, chez toutes les participantes, la condition physique cardiovasculaire s'était nettement améliorée, et pourtant, il n'y avait aucune diminution du pourcentage de gras. Pire encore, 70 % des femmes impliquées dans l'étude avaient pris du poids! On a donc conclu que les «récompenses» que les participantes s'offraient post-entraînement étaient nettement trop généreuses.

Selon l'expert sur l'obésité, Zoe Harcombe, l'exercice a, sur tous, un effet psychologique et une influence sur ce que l'on mange et sur les portions que l'on met dans son assiette. On associe trop facilement l'entraînement à une récompense. Quand on y pense un peu, il y a même de grands organismes de pertes de poids, reconnus, qui véhiculent cette mentalité: vous gagnez des points «boni» lorsque vous faites un exercice.

Il faudrait en fait repenser notre rapport à l'activité physique. Dans son livre *Maigrir pour la vie,* Caroline Gosselin écrit ceci: «Plutôt que d'en faire une corvée, essayez d'incorporer l'exercice dans votre vie en vous disant que chaque minute que vous y consacrez est une récompense que vous vous offrez. Vu de cette façon, l'exercice n'est plus une punition, mais un privilège, un moment que vous vous accordez pour vous détendre, respirer et savourer la journée.» J'aime beaucoup cette approche différente et pleine de sens!

Passez à l'action!

Vos programmes de marche avec intervalles et de musculation pour brûler un maximum de calories

La marche est et sera toujours un moyen idéal pour améliorer votre système cardiorespiratoire et retrouver une bonne condition physique parce qu'elle est tout simplement tellement accessible! Elle peut être très motivante, mais si vous faites le même trajet depuis des années, à la même intensité, le temps est peut-être venu pour vous de changer votre «routine»...

Les deux entraînements que je vous propose sont conçus pour l'atteinte d'objectifs différents: le programme 1 utilise des mouvements d'endurance musculaire pour tonifier le corps en entier; le programme 2 vous fera brûler des calories supplémentaires en variant la vitesse. Les deux vous permettront d'améliorer votre force et votre endurance, tout en réduisant votre pourcentage de graisse.

Bon à savoir

LES ÉTIREMENTS
Après chaque programme, prendre
5 minutes pour faire les étirements
à la page 36.

Programme 1

Dépense calorique : Environ 200 à 300 calories.
Durée : 25 minutes.

MINUTES 1 À 5 : ÉCHAUFFEMENT
Commencez en marchant lentement et augmentez progressivement votre vitesse. Vous devriez atteindre votre vitesse d'entraînement (selon votre niveau) vers la fin de ces 5 minutes.

Concentrez-vous sur la technique : Levez la tête, et « pompez » vos bras en maintenant les coudes fléchis à 90 degrés. Contractez vos abdominaux et ne les relâchez jamais totalement.

MINUTES 6 ET 7 : MARCHE RAPIDE
Marchez rapidement, de manière à vous sentir essoufflée, pendant les 2 prochaines minutes.

MINUTE 8 :
FENTES AVANT MARCHÉES
Placez vos mains sur vos hanches et, lentement, faites un grand pas vers l'avant avec la jambe droite. Pliez votre genou avant à 90 degrés ; placez bien votre genou au-dessus de votre cheville (et non plus loin vers l'avant). Maintenez 2 secondes, puis relevez-vous en ramenant votre pied gauche. Faites la même séquence de l'autre côté. Alternez ainsi les fentes avant pendant 60 secondes.

MINUTE 9 :
MARCHE RAPIDE
Reprenez votre marche rapide pour 1 minute. Pompez les bras et concentrez-vous sur votre posture.

MINUTE 10 :
FENTES AVANT MARCHÉES
Reprenez pendant 60 secondes les fentes marchées, comme à la minute 8.

MINUTES 11 À 13 :
MARCHE RAPIDE
Reprenez votre marche rapide pour 3 minutes.

| Minutes 1 à 5 | Minutes 6 et 7 | Minute 8 | Minute 9 | Minute 10 | Minutes 11 à 13 |

MINUTES 14 ET 15: SQUATS

Pour les 2 prochaines minutes, vous resterez au même endroit. Placez vos mains sur vos hanches. Faites un grand pas de côté avec la jambe droite.

Inclinez le tronc vers l'avant et les hanches vers l'arrière, comme si vous vouliez vous asseoir; tenez 2 secondes. Vous pouvez fléchir vos genoux jusqu'à 90 degrés sans aucun problème, à moins que vous ne ressentiez une douleur ou un inconfort; si c'est le cas, faites un squat moins profond. Redressez-vous et ramenez votre jambe droite au centre. Refaites cette séquence de chaque côté en alternant.

MINUTES 16 À 18: MARCHE RAPIDE

Les squats devraient avoir fait grimper vos fréquences cardiaques. Reprenez votre souffle en marchant à nouveau de cette même marche rapide et dynamique, pour les 3 prochaines minutes.

MINUTES 19 ET 20:
FENTES CROISÉES

Vous ferez des «fentes-croisées» pendant les 2 dernières minutes de ce bloc.

Placez la jambe droite derrière la gauche dans une fente diagonale arrière. Assurez-vous que le genou droit est en ligne avec le talon du pied gauche. Gardez vos mains sur vos hanches, abaissez le genou droit près du sol, serrez les fessiers et maintenez 2 secondes. Ramenez la jambe droite au centre et répétez du côté opposé. Alternez les 2 côtés.

MINUTES 21 À 25:
RETOUR AU CALME

Reprenez la marche. Ralentissez graduellement le rythme: passez d'une marche rapide, ou même athlétique, à une marche de promenade. Votre respiration devrait se rapprocher de la normale à l'intérieur des prochaines minutes.

Minutes 14 et 15   Minutes 16 à 18   Minutes 19 et 20   Minutes 21 à 25

Programme 2

Dépense calorique : 300 à 400 calories.
Durée : 40 minutes.

En ajoutant des intervalles de courses à votre marche, vous entraînez votre corps à travailler plus fort et pour de plus longues durées.

MINUTES 1 À 5 : ÉCHAUFFEMENT
Marchez d'un bon pas : vous devriez être capable, toutefois, d'entretenir une conversation avec un partenaire de marche, ou bien de chantonner peut-être !

MINUTES 6 À 9 : MARCHE MODÉRÉE ET FENTES MARCHÉES
Accélérez maintenant. Vous vous approchez d'un pas de course sans toutefois courir... Votre respiration est plus intense, mais vous pouvez encore faire une phrase complète sans être à bout de souffle.

Intégrez les fentes marchées. Placez vos mains sur vos hanches et, lentement, faites un grand pas vers l'avant avec la jambe droite. Pliez votre genou avant à 90 degrés ; placez bien votre genou au-dessus de votre cheville (et non plus loin vers l'avant). Maintenez 2 secondes, puis relevez-vous en ramenez votre pied gauche. Faites la même séquence de l'autre côté. Alternez ainsi les fentes avant pendant 60 secondes.

MINUTES 10 ET 11 : MARCHE RAPIDE
Marchez le plus rapidement possible pendant 2 minutes.

MINUTES 12 À 14 : JOGGING LÉGER
Passez au mode jogging léger, et soutenez ce rythme 3 minutes. La respiration est plus difficile, mais vous pouvez encore enchaîner plusieurs mots...

MINUTES 15 ET 16 : MARCHE RAPIDE
Retournez à la marche rapide. Votre rythme de marche devrait sembler plus ardu que le rythme précédent la course. Vos phrases sont courtes et sèches, et vous avez l'impression, par moments, d'être à bout de souffle.

| Minutes 1 à 5 | Minutes 6 à 9 | Minutes 10 et 11 | Minutes 12 à 14 | Minutes 15 et 16 |

MINUTES 17 À 21 : JOGGING LÉGER
Pendant ces 5 minutes, courez à un rythme confortable en prêtant attention à votre technique. Maintenez votre tête en ligne avec votre colonne vertébrale. Vos bras, pliés à 90 degrés, doivent faire un mouvement de « pompage » à vos côtés. Ils vont de l'avant à l'arrière et non pas en se croisant devant vous.

MINUTES 22 ET 23 : MARCHE LÉGÈRE
Reprenez la marche. Diminuez lentement votre vitesse pour récupérer avant le prochain intervalle.

Après avoir marché pendant 30 à 60 secondes, intégrez les squats : Inclinez le tronc vers l'avant et les hanches vers l'arrière, comme si vous vouliez vous asseoir ; tenez 2 secondes. Vous pouvez fléchir vos genoux jusqu'à 90 degrés sans aucun problème, à moins que vous ne ressentiez une douleur ou un inconfort ; si c'est le cas, faites un squat moins profond. Redressez-vous et ramenez votre jambe droite au centre. Refaites cette séquence de chaque côté en alternant.

MINUTES 24 À 28 : COURSE MODÉRÉE
Accélérez à un rythme de course modéré, donc un peu plus intense que le rythme léger. Gardez vos épaules et votre cou détendus.

MINUTES 29 À 33 : COURSE MODÉRÉE PUIS MARCHE MODÉRÉE
En faisant cette transition, de la course à la marche, votre respiration devrait progressivement revenir à la normale. Vous devriez vous sentir pleine d'énergie… pas épuisée.

MINUTES 34 À 40 : RÉCUPÉRATION
Diminuez progressivement votre intensité.

Minutes 17 à 21   ⊢ Minutes 22 et 23 ⊣   ⊢ Minutes 24 à 28 ⊣   Minutes 29 et 33 ⊣   Minutes 34 à 40

CHAPITRE 5

Belle au naturel

Les astuces
d'*Isabelle*

Si le rôle d'une saine alimentation dans la prévention des maladies chroniques est bien connu, peu de femmes savent que certains aliments ont aussi le pouvoir d'améliorer leur apparence. Bien sûr, ils ne sont pas dotés de propriétés miraculeuses, mais ils peuvent nous aider à préserver notre capital jeunesse, tout en rehaussant l'apparence de notre peau, de nos ongles et de nos cheveux. Voici mes astuces pour faire de votre assiette l'alliée de votre beauté naturelle !

1 *Manger moins*

Largement étudiée chez les animaux, la théorie de la restriction calorique fait aussi l'objet de recherches chez l'humain. Cette approche, qui compte plusieurs adeptes aux États-Unis, est simple : il suffit de diminuer son apport calorique de 25 % (par exemple 500 calories pour un apport quotidien de 2000 calories), afin de ralentir le processus de vieillissement. Une étude américaine, nommée CALERIE et qui regroupe des chercheurs de quelques universités, a démontré que les participants qui avaient réduit leur apport calorique, comparativement à ceux qui mangeaient normalement, avaient des taux de LDL (mauvais transporteur de cholestérol) et de triglycérides plus bas, affichaient une tension artérielle moindre, présentaient moins de résistance à l'insuline et d'inflammation. La restriction a toutefois affecté leur densité osseuse et augmenté le risque d'anémie.

Si les habitants de l'île d'Okinawa, au Japon, affichent le plus haut taux de centenaires dans le monde, c'est en grande partie grâce à leur alimentation. La faible densité énergétique de leurs repas réduit considérablement le nombre de calories consommées dans une journée, ce qui améliore leur espérance de vie tout en réduisant les risques de maladies chroniques. Finir chaque repas sans être repus, voilà leur mode de vie.

Devrait-on s'en inspirer ? En partie, mais rappelons que manger fait partie des grands plaisirs de la vie et que restreindre son apport calorique en tout temps comporte certaines contraintes sociales. Cette pratique doit aussi être accompagnée d'un supplément de vitamines et de minéraux.

 ## Miser sur les antioxydants

Le vieillissement de la peau est lié à des facteurs internes et externes. La dégénérescence naturelle due à l'âge est déterminée génétiquement, mais plusieurs facteurs externes peuvent influencer la vitesse de la dégradation. Le stress oxydatif, engendré par les radicaux libres (des molécules instables), favorise le vieillissement précoce de la peau. L'apparition de rides et de taches pigmentaires s'accélère considérablement en présence de radicaux libres.

LES RAYONS DU SOLEIL
Le soleil est l'ennemi principal à surveiller. C'est le facteur n° 1 du vieillissement cutané, puisque l'exposition aux rayons UV affecte la structure de la peau. La production de radicaux libres et l'inflammation provoquée par le soleil altèrent le fonctionnement des cellules cutanées.

Le photovieillissement (le vieillissement prématuré de la peau attribuable à une trop grande exposition au soleil) est associé à la rugosité de la peau, à la formation des rides et à une pigmentation irrégulière.

L'ALIMENTATION INADÉQUATE
On sait que certaines déficiences nutritionnelles affectent la qualité de la peau. Par exemple, le manque de vitamine C peut causer le scorbut, une maladie qui rend la peau fragile et induit des lésions des tissus cutanés, provoquant des saignements.

Il est évident que corriger les déficiences nutritionnelles peut améliorer l'apparence, mais une nutrition optimale peut-elle bonifier l'état de notre peau ? Si les études scientifiques sont encore peu nombreuses, on ne perd rien à évaluer les pistes émergentes !

Bon à savoir

Les facteurs qui génèrent des radicaux libres

→ Les rayons UV

→ Une mauvaise alimentation

→ Le stress chronique

→ La pollution

→ Le surentraînement

VITAMINE C, VITAMINE E ET CAROTÉNOÏDES : LE TRIO ESSENTIEL

Ce trio aux propriétés antioxydantes est le plus étudié en cosmétologie. Pas étonnant que ces nutriments soient régulièrement intégrés aux produits de beauté et aux soins anti-âge ! Mais qu'en est-il de leur pouvoir lorsqu'ils sont intégrés en bonnes concentrations à notre alimentation ?

La vitamine C

Antioxydant très efficace, la vitamine C joue aussi un rôle dans la production du collagène et de l'élastine. En prime, elle régénère la vitamine E, ce qui en fait une précieuse alliée pour une peau en bonne santé. La vitamine C pourrait même améliorer les cernes noirs sous les yeux, qui sont liés à une circulation déficiente et à une hyperpigmentation.

Besoins quotidiens en vitamine C
Hommes 19 ans et + : 90 mg
Femmes 19 ans et + : 75 mg

Les aliments riches en vitamine C

Aliment	Portion	Contenu en vitamine C
Poivron jaune	½	170 mg
Goyave	1	165 mg
Poivron rouge	½	156 mg
Choux de Bruxelles, cuits	250 ml (1 tasse)	149 mg
Jus d'orange frais	250 ml (1 tasse)	131 mg
Fraises fraîches	250 ml (1 tasse)	86 mg
Chou frisé, cru	250 ml (1 tasse)	85 mg
Brocoli, cru	250 ml (1 tasse)	83 mg
Pois mange-tout, cuits	250 ml (1 tasse)	81 mg
Poivron vert	½	73 mg
Orange	1	70 mg

La vitamine E

Autre antioxydant réputé, la vitamine E contrecarre les effets négatifs des rayons UVB et UVA. C'est l'antioxydant le plus abondant dans la peau. Il agit en synergie avec la vitamine C, ce qui en fait un duo incontournable!

Besoins quotidiens en vitamine E
Hommes 19 ans et +: 15 mg
Femmes 19 ans et +: 15 mg

Les meilleures sources de vitamine E

Aliment	Portion	Quantité de vitamine E
Huile de germe de blé	15 ml (1 c. à soupe)	26,6 mg
Amandes	60 ml (¼ tasse)	19,2 mg
Graines de tournesol	60 ml (¼ tasse)	13,2 mg
Huile de tournesol	15 ml (1 c. à soupe)	7,05 mg
Noisettes, avelines	60 ml (¼ tasse)	6,4 mg
Huile d'amande	15 ml (1 c. à soupe)	5,0 mg
Huile de carthame	15 ml (1 c. à soupe)	4,76 mg
Huile de maïs ou de canola	15 ml (1 c. à soupe)	3 mg
Boisson de soya enrichie	250 ml (1 tasse)	3 mg
Huile de soya	15 ml (1 c. à soupe)	3 mg
Arachides, rôties dans l'huile	60 ml (¼ tasse)	2-3 mg

Les caroténoïdes

Pigments naturellement présents surtout dans les aliments d'origine végétale, les caroténoïdes se déclinent en de nombreuses variétés (bêtacarotène, lycopène, lutéine, zéaxanthine, astaxanthine, etc.) dont certaines ont une activité provitamine A (elles se convertissent en vitamine A dans l'organisme). À l'instar de la vitamine E, les caroténoïdes protègent des rayons UV. On trouve ces antioxydants dans les fruits et les légumes orange, rouges ou jaunes (tomate, carotte, patate douce, mangue, melon d'eau, cantaloup) ainsi que dans les légumes verts feuillus (épinard, bette à carde, rapini, chou frisé, cresson et persil).

Il est difficile d'évaluer quel type de caroténoïdes est le plus efficace, mais des études ont ciblé l'action spécifique de certains d'entre eux. L'astaxanthine, un type de caroténoïdes trouvé dans les crevettes, aurait un pouvoir de protection supérieur à celui du bêtacarotène. D'autres études ont démontré que plus la concentration de lycopène (présente dans les tomates et le melon d'eau, par exemple) dans la peau était élevée, moins la peau était rugueuse, contribuant ainsi à retarder l'apparition des rides. La consommation de bonnes sources de lycopène au quotidien a aussi permis, sur 10 à 12 semaines, de diminuer la sensibilité aux rayons UV.

Il n'y a pas de besoins précis établis pour les caroténoïdes. Des concentrations sanguines élevées sont toutefois associées à la prévention de maladies chroniques. Un bémol : des sous-groupes de la population, dont les fumeurs et les travailleurs de l'amiante, réagiraient négativement à des concentrations élevées. La prise de suppléments n'est pas conseillée.

Les sources de caroténoïdes

Aliment	Portion	Bêtacarotène (ÉR*)
Jus de carottes	250 ml (1 tasse)	6693
Patate douce, en purée	250 ml (1 tasse)	5909
Carotte, cuite	250 ml (1 tasse)	4047
Carotte, crue	1 moyenne	2264
Épinards, cuits	250 ml (1 tasse)	1558
Chou vert, cuit, haché	250 ml (1 tasse)	1016
Poivron rouge, haché	250 ml (1 tasse)	897
Cantaloup	½	860
Mangue fraîche	1	805

*ÉR : Équivalents rétinol. Pour obtenir 1 équivalent rétinol, il faut 6 mg de bêtacarotène.

Les aliments riches en lycopène

Aliment (portion de 100 g/(3 ½ oz)	Contenu en lycopène
Concentré de tomates	29,3 mg
Sauce à spaghetti	17,5 mg
Ketchup	17,0 mg
Sauce tomate	15,9 mg
Tomates, en conserve	9,7 mg
Jus de tomate	9,3 mg
Goyave	5,4 mg
Melon d'eau	4,8 mg
Tomate, crue	3,0 mg
Papaye	2,0 mg
Pamplemousse rose	1,5 mg

LES AUTRES ANTIOXYDANTS D'INTÉRÊT

Les polyphénols

Les polyphénols représentent un autre grand groupe de composantes aux propriétés antioxydantes. Ils sont largement étudiés dans la prévention de plusieurs maladies et leur rôle dans la lutte contre le vieillissement retient de plus en plus l'attention des chercheurs. Voici quelques polyphénols particulièrement intéressants pour notre beauté.

Les catéchines

Les catéchines, des polyphénols présents dans le thé (surtout le thé vert), protégeraient la barrière de l'épiderme, préservant ainsi la peau des dommages liés aux agents stressants de l'environnement dont les rayons du soleil. Les extraits de thé vert sont d'ailleurs utilisés dans quelques crèmes anti-âge, mais la consommation de thé vert reste suggérée.

Le resvératrol

Le resvératrol est un polyphénol au fort pouvoir antioxydant. On le trouve essentiellement dans le raisin et le vin rouge, mais aussi dans les arachides, la rhubarbe et dans certaines baies. Son activité antioxydante serait 10 000 fois plus puissante que celle de la vitamine E. Ses propriétés sont nombreuses : il diminue l'oxydation du LDL (le «mauvais» cholestérol), inhibe l'agrégation plaquettaire, a des propriétés anticancérigènes et diminuerait même le déclin cognitif lié à l'âge.

Récemment, c'est pour ses propriétés anti-âge que l'on s'y est attardé. Le resvératrol mimerait l'action de la restriction calorique sur l'organisme (voir l'astuce 1, «Manger moins»), sans les désavantages qui y sont associés. En activant les sirtuines, une sorte d'enzymes, il donne un coup de jeune aux mitochondries, des cellules du sang qui jouent un rôle fondamental dans la respiration cellulaire de tout le corps. Le resvératrol peut réduire l'apparition des produits de glycation (voir l'astuce 3, «Diminuer sa consommation de sucre»). Il protégerait aussi des rayons UV et réduirait la pigmentation. Avec l'ensemble de ses propriétés, il n'est pas étonnant que la vinothérapie soit de plus en plus en vogue !

Les sources d'antioxydants, selon diverses catégories

Type d'antioxydants	Sources
Vitamine C	→ Certains fruits : fruits citrins et leurs jus, cantaloup, fraise, framboise, bleuet, papaye, mangue, ananas, kiwi → Certains légumes : choux, poivrons rouges et jaunes, légumes verts, pomme de terre
Vitamine E	→ Huiles végétales riches en acides gras polyinsaturés : huiles de germe de blé, de canola et de tournesol → Germe de blé → Fruits oléagineux : noix, noisette, amande → Légumes verts feuillus : épinard, mâche → Céréales et pains à grains entiers (vitamine dans le germe) → Graines : graines de tournesol, de chanvre et de citrouille
Zinc	→ Fruits de mer → Viandes → Légumineuses
Sélénium	→ Produits laitiers → Poissons → Fruits oléagineux : noix, noisette, amande, noix du Brésil
Polyphénols	→ Certains fruits : fruits citrins, pomme, petits fruits, bleuet, framboise, fraise, mûre, canneberge, grenade, poire, prune, cerise, pêche, raisin rouge et jus de raisin rouge, olive → Certains légumes : poivron, chou de Bruxelles, chou, chou-fleur, chou frisé, céleri, ciboulette, laitue, épinard, tomate, asperge, brocoli, radis, oignon → Autres fruits et légumes rouges → Grains entiers → Thé vert, thé noir → Vin rouge → Fève de soya et produits dérivés du soya → Chocolat noir
Caroténoïdes (dont le bêtacarotène, le lycopène, la lutéine et l'asthaxantine)	→ Fruits orangés : cantaloup, mangue, papaye, pêche, melon d'eau (pastèque), abricot, pamplemousse rose → Légumes orangés : carotte, poivron, citrouille, courge, tomate, patate douce → Légumes verts : épinard, brocoli → Jaune d'œuf (lutéine) → Crustacés (asthaxantine)
Amides (dont la capsaïcine)	→ Piments → Avoine

La prise de suppléments est-elle recommandée?

Peu d'études ont pu démontrer l'intérêt des suppléments. Quelques-unes ont même soulevé le danger associé à une grande supplémentation de bêtacarotène et de vitamine E chez divers groupes de la population. Dans certaines conditions, des molécules antioxydantes pourraient en effet devenir des pro-oxydants. Une étude a toutefois révélé que la consommation d'une multivitamine était associée à des télomères (extrémités de chromosomes) plus longs (5 % de plus), de même que la consommation des vitamines C et E alimentaires. Des télomères courts sont associés à plusieurs maladies liées à l'âge.

Les aliments restent, bien sûr, les meilleures sources de vitamines, de minéraux et de composantes phytochimiques. En ce qui me concerne, en plus de bien me nourrir, je prends un supplément de multivitamines et de minéraux chaque jour. Il n'y a pas de risque à prendre ainsi des microdoses de vitamines et de minéraux en supplémentation. Pour mes clientes, j'adapte mes recommandations précises en fonction de plusieurs facteurs, dont l'analyse de l'alimentation habituelle, le niveau d'activité physique et le stress chronique.

 ## Diminuer sa consommation de sucre

Tout comme l'oxydation, la glycation est un phénomène qui accélère le vieillissement. La glycation se produit quand une molécule de sucre se lie à une protéine ou à un lipide. Quand elle survient dans les aliments, on parle de réaction de Maillard; c'est notamment le cas dans la viande grillée et les aliments frits. Ces produits de glycation ont des caractéristiques pro-inflammatoires et nuisent au collagène ainsi qu'à l'élastine de la peau. Certaines épices et herbes diminuent toutefois leur production. C'est le cas de la cannelle, du clou de girofle et de l'origan.

Le contrôle de la glycémie fait partie des stratégies beauté à adopter. Un régime contenant peu de sucre ajouté et à faible indice glycémique pourrait freiner le vieillissement de la peau, bien que les recherches à ce sujet soient encore préliminaires.

L'eau, la meilleure des boissons

Dépourvue de calories, l'eau est la meilleure des boissons beauté. L'hydratation adéquate réduit le risque de constipation, laquelle brouille le teint. Pour une peau claire et bien hydratée, on conseille de boire 2 litres (8 tasses) d'eau par jour.

5 CONSEILS POUR RÉDUIRE SA CONSOMMATION DE SUCRE

1. Diminuer progressivement l'ajout de sucre dans ses boissons et ses plats : café, thé, gruau, etc.
2. Ne pas remplacer le sucre par des succédanés (sucralose, aspartame, stevia, etc.) pour ne pas entretenir le goût du sucre.
3. Combler ses envies de sucre avec des fruits séchés et du chocolat noir.
4. Ne consommer des desserts sucrés (pâtisseries, gâteaux, tartes) qu'à des occasions spéciales.
5. Éliminer toutes les boissons sucrées au quotidien (boissons gazeuses, cocktails, boissons alcoolisées sucrées).

(4) Combler ses besoins en acides gras essentiels

Les acides gras essentiels sont des gras que notre corps ne peut synthétiser et que nous devons obligatoirement aller chercher dans l'alimentation. L'acide linoléique (un oméga-6) et l'acide α-linolénique (un oméga-3) sont considérés comme des gras essentiels.

Une déficience en acides gras essentiels peut conduire à des problèmes cutanés, comme la sécheresse, l'eczéma et la dermatite atopique. Les personnes anorexiques, qui ne consomment pas suffisamment de gras, souffrent souvent de problèmes cutanés. Une étude a aussi démontré que l'acide linoléique réduisait la sécheresse de la peau reliée à l'âge et son atrophie.

Acides gras essentiels : apports nutritionnels quotidiens de référence chez les femmes

Âge	Acide gras linoléique (oméga-6) 5 à 10 % de l'énergie totale	Acide gras α-linolénique (oméga-3) 0,6 à 1,2 % de l'énergie totale
19 à 50 ans	12 g	1,1 g
51 ans et plus	11 g	1,1 g

Teneur en acide α-linolénique de certaines huiles, noix et graines

Aliment	Portion	Quantité
Huile de lin	15 ml (1 c. à soupe)	8,5 g
Graines de lin	15 ml (1 c. à soupe)	2,2 g
Huile de noix	15 ml (1 c. à soupe)	1,4 g
Huile de canola	15 ml (1 c. à soupe)	1,3 g
Huile de soya	15 ml (1 c. à soupe)	0,9 g
Noix de Grenoble	15 ml (1 c. à soupe)	0,7 g
Huile d'olive	15 ml (1 c. à soupe)	0,1 g

Teneur en acide linoléique de certaines huiles, noix et graines

Aliment	Portion	Quantité
Graines de tournesol, rôties ou grillées	60 ml (¼ tasse)	11-13 g
Noix de pins (pignons), déshydratées	60 ml (¼ tasse)	11 g
Noix de Grenoble, déshydratées	60 ml (¼ tasse)	10 g
Huile de carthame, 70 % ou plus d'acide linoléique	15 ml (1 c. à soupe)	10 g
Huile de pépins de raisin	15 ml (1 c. à soupe)	10 g
Graines de sésame entières, déshydratées, grillées ou rôties	60 ml (¼ tasse)	8-10 g
Huile de tournesol, 60 % ou plus d'acide linoléique	15 ml (1 c. à soupe)	9 g
Huile de germe de blé	15 ml (1 c. à soupe)	8 g
Huile de maïs, de noix et de soya	15 ml (1 c. à soupe)	7 g
Graines de citrouille et de courge, déshydratées	60 ml (¼ tasse)	7 g
Huile de sésame	15 ml (1 c. à soupe)	6 g
Arachides, rôties dans l'huile ou à sec	60 ml (¼ tasse)	6 g
Pacanes, rôties dans l'huile ou à sec	60 ml (¼ tasse)	6 g
Huile d'arachide	15 ml (1 c. à soupe)	4 g

⑤ *Intégrer le soya à son alimentation*

Grâce à ses composantes uniques (flavonoïdes, isoflavones), le soya a des propriétés anti-inflammatoires (l'inflammation chronique est liée au vieillissement de la peau). De plus, il stimule la production de collagène, protège des rayons UV et pourrait même éclaircir la peau. Des études ont indiqué que des extraits de soya avaient amélioré la production de collagène et d'élastine. Le soya a aussi des applications topiques, si bien que certains chercheurs ont pu démontrer qu'il pouvait réduire la pilosité. Considérant les nombreuses propriétés du soya (que nous verrons plus en détail au chapitre 6), il est recommandé de l'inclure dans ses habitudes alimentaires.

⑥ *Adopter le régime méditerranéen*

L'étude Food Habits in Later Life a permis d'établir un lien entre les habitudes alimentaires et l'apparence de la peau chez des personnes qui avaient été grandement exposées au soleil. La consommation de légumes, d'huile d'olive, de poisson et de légumineuses était associée à une peau moins ridée, alors que le beurre, la margarine, les viandes, les produits laitiers et le sucre étaient liés au vieillissement de la peau.

Une autre étude, menée auprès de 2929 personnes âgées de 45 à 60 ans, a également montré que la consommation de poisson protégeait la peau du vieillissement précoce attribuable à une grande exposition au soleil. Enfin, une étude, à laquelle ont participé 4025 femmes âgées de 40 à 74 ans, a indiqué que des apports plus élevés en vitamine C réduisaient le risque d'avoir une peau très marquée par les rides, alors que les glucides (sucres) avaient l'effet contraire.

L'alimentation méditerranéenne, qui comprend entre autres 250 ml (1 tasse) de vin rouge au quotidien, s'est révélée très efficace pour prévenir ou réduire le stress oxydatif engendré par les radicaux libres (voir l'astuce 2, «Miser sur les antioxydants»). Dans la pyramide du régime méditerranéen, les végétaux occupent une large place, alors que les viandes et les sucreries sont peu présents. C'est le modèle à suivre! L'huile d'olive est le corps gras de choix. Composée de gras monoinsaturés, elle est plus résistante à l'oxydation, ce qui en fait une alliée pour une peau d'apparence plus jeune.

LA BEAUTÉ DES ONGLES

Les ongles peuvent facilement refléter la qualité de notre alimentation. L'ongle est constitué de kératine, de composés soufrés et de différents minéraux (calcium, magnésium, zinc, cuivre, etc.). Le taux d'hydratation des ongles est d'environ 18 % ; ils deviennent cassants quand leur concentration en eau est inférieure à 16 % et ils sont mous quand cette concentration atteint 25 %.

La fragilité des ongles s'observe surtout chez les femmes, notamment à cause de leurs contacts fréquents avec l'eau et les produits de nettoyage. Protéger ses mains avec des gants et bien hydrater ses ongles avec une crème hydratante fait partie des recommandations pour des ongles en bonne santé. Même lors d'une manucure, on conseille d'éviter le trempage des ongles dans l'eau s'ils sont fragiles.

On sait que certaines déficiences nutritionnelles comme le kwashiorkor (une forme grave de malnutrition causée par une carence en calories et en protéines) fragilisent les ongles, qui deviennent alors mous et minces. La décoloration des ongles, des changements dans leur forme, la présence de lignes ou de taches blanches, le dédoublement, tous ces signes peuvent traduire une déficience nutritionnelle ou la présence d'une maladie (cirrhose, diabète mal traité, maladies inflammatoires, etc.). Il importe donc de garder ses ongles à l'œil !

Quelques carences possibles et leurs symptômes

Le fer

La pâleur de l'ongle peut signaler une anémie ou des réserves inadéquates en fer. Les ongles recourbés vers l'extérieur (koïlonychie) sont aussi un signe d'anémie. Les ongles cassants, le décollement de l'ongle (onycholyse) et les stries verticales (onychorrhexie) peuvent tous être reliés à une déficience en fer.

Le calcium

Des bandes blanches transverses (leukonychie) peuvent être reliées à un taux anormalement faible de calcium dans le sang (hypocalcémie). Les ongles cassants et des stries longitudinales peuvent également être associés à un manque de calcium.

Le zinc

Une déficience en zinc peut rendre les ongles cassants, induire des stries verticales et des dépressions transversales profondes (lignes de Beau).

Le magnésium

Un apport inadéquat en magnésium peut affecter la santé des ongles. Ils deviennent alors mous et ont tendance à se dédoubler ou à casser.

Le sélénium

En l'absence d'une quantité adéquate de sélénium, les ongles peuvent devenir plutôt blanchâtres.

Les vitamines A et D

Une carence de ce duo de vitamines a été associée à des ongles mous. Les bandes pigmentées (mélanonychie longitudinale) sont aussi liées à une déficience en vitamine D.

Les vitamines du complexe B

Les déficiences en vitamines B_2, B_3, B_6, B_8 (biotine) et B_{12} sont toutes associées à des problèmes de santé des ongles.

La vitamine C

L'hémorragie Splinter se définit par la présence de saignements sous l'ongle. Comme le scorbut, cette anomalie découle d'une déficience en vitamine C.

Parmi tous les traitements proposés, les suppléments de fer et de biotine sont les plus courants. La biotine pourrait améliorer les ongles fragiles et cassants après 2 à 3 mois de supplémentation. Il n'y a pas d'autres évidences suggérant la prise de suppléments dans le traitement des ongles fragiles. Une saine alimentation, qui couvre l'ensemble des besoins, reste la clé.

Anomalies de l'ongle et déficiences nutritionnelles associées

Anomalie	Déficiences associées
Mélanonychie longitudinale (bandes pigmentées)	Malnutrition, déficiences en vitamine B_{12}, en vitamine D
Leukonychie (taches blanches transverses)	Déficiences en calcium, en vitamine B_3 (niacine)
Hémorragie de Splinter (saignement sous l'ongle)	Déficience en vitamine C
Koïlonychie (ongles recourbés vers l'extérieur)	Déficiences en fer, en vitamines B_2 et B_3 (niacine), en vitamine C
Onycholyse (décollement de l'ongle)	Déficiences en fer, en vitamine B_3 (niacine)
Lignes de Beau (dépressions transversales profondes)	Déficiences en protéines, en vitamine B_3 (niacine), en calcium
Ongles cassants	Malnutrition, anorexie, déficiences en vitamine B_8 (biotine), en fer, en zinc, en calcium, en magnésium
Pâleur de l'ongle	Déficiences en fer, en sélénium

LA BEAUTÉ DES CHEVEUX

À l'instar de la peau, les cheveux sont exposés à des facteurs externes qui influencent leur apparence. Par exemple, l'exposition au soleil peut affecter l'état du cuir chevelu, tandis que le tabagisme favorise la perte des cheveux.

La quantité et la qualité des cheveux sont déterminées génétiquement, mais la façon dont on se nourrit joue aussi un rôle sur ce plan. La croissance des cheveux est altérée par la malnutrition. Une saine alimentation, avec un apport adéquat en vitamines et en minéraux, est essentielle à la santé des cheveux.

D'autres nutriments influenceraient la qualité des cheveux, notamment :

→ le cuivre, que l'on trouve surtout dans les mollusques, les crustacés, les noix, les graines et les légumineuses ;

→ le sélénium, que l'on trouve surtout dans les noix du Brésil et les poissons ;

→ la vitamine D (voir les principales sources à la page 84).

L'alopécie : une question d'hormones

La perte de cheveux (ou alopécie) affecte 50 % des femmes et 80 % des hommes au cours de leur vie. La chute des hormones au moment de la ménopause et les variations hormonales après un accouchement prédisposent la femme à la perte de cheveux, tout comme les régimes amaigrissants trop restrictifs. Des déficiences en zinc et en vitamine A peuvent aussi provoquer une chute de cheveux anormale.

En vieillissant, plusieurs femmes voient leurs cheveux devenir plus fins et clairsemés.

LE TOP 5 DES ALIMENTS BÉNÉFIQUES POUR LES CHEVEUX

1. Les aliments riches en zinc

Ces aliments peuvent aider à freiner la chute de cheveux. On trouve le zinc dans les légumineuses, les huîtres et les fruits de mer, notamment.

2. Les sources de protéines

Les cheveux sont faits à 95 % de kératine, une protéine qui leur confère force et brillance. Constituée de plusieurs acides aminés, dont la cystéine (œuf, poisson), la synthèse de la kératine nécessite un apport alimentaire adéquat en protéines. Tous les repas devraient inclure de bonnes sources de protéines, qu'elles soient d'origine animale ou végétale.

3. Les aliments riches en fer

Une déficience en fer amène une chute de cheveux excessive. Notre organisme assimile mieux le fer contenu dans les aliments d'origine animale. Quant au fer d'origine végétale, le chapitre 1 donne plusieurs conseils pour mieux l'absorber.

4. Les sources de vitamines du complexe B

Les vitamines du complexe B permettent de renforcer les cheveux. Les produits céréaliers, la levure de bière et le germe de blé en sont de bonnes sources. En particulier, la vitamine B_3 (niacine) et la vitamine B_{12} favorisent une chevelure en bonne santé.

5. Les gras essentiels

Les sources de gras essentiels contribuent à l'hydratation des cheveux et à leur brillance. Une carence en gras essentiels peut conduire à la perte de cheveux et de sourcils ainsi qu'à la dépigmentation. (Voir les sources de gras essentiels aux pages 81 et 82.)

Passez à la cuisine!

Vous trouverez, à la fin de ce livre, des recettes simples et délicieuses spécialement conçues pour rehausser votre éclat naturel et pour améliorer l'apparence et la texture de votre peau, de vos ongles et de vos cheveux.

DES RECETTES CONÇUES AVEC DES ALIMENTS
RÉPUTÉS POUR LEURS VERTUS «ANTI-ÂGE»

→ Smoothie beauté (p. 209)

→ Crème budwig vitalité (p. 211)

→ Salade au teint de pêche (p. 218)

→ Salade de chou nappa au poulet (p. 219)

→ Salade de haricots blancs, graines de citrouille et canneberges (p. 220)

→ Orge, bleuets et poulet en salade (p. 222)

→ Duo de betteraves au fromage halloumi (p. 224)

→ Saumon aux asperges, sauce au cari (p. 239)

VOICI UN EXEMPLE DE MENU QUOTIDIEN QUI POURRAIT
ÊTRE CONSTRUIT À PARTIR DES RECETTES BEAUTÉ:

Ma journée beauté

Déjeuner	Collation am	Dîner	Collation pm	Souper	Collation soirée
Smoothie beauté (p. 209)	Grenade (arilles) + Noix de Grenoble	Salade au teint de pêche (p. 218) + Pita de blé entier grillé aux herbes + Mangue fraîche + Thé vert	Un yogourt (format individuel) + 15 ml (1 c. à soupe) de levure de bière	Saumon aux asperges, sauce au cari (p. 239) + Courges musquées	80 ml (⅓ tasse) de tofu soyeux + 125 ml (½ tasse) de framboises + 5 ml (1 c. à thé) de miel (passer le tout au mélangeur)

Les astuces
de Josée

Pour la plupart des femmes (et des hommes), il est difficile d'aller réguliè-rement au centre de conditionnement physique, car la motivation manque parfois à l'appel. Mais, outre les nombreuses raisons de santé que vous pouvez utiliser pour rester motivé, saviez-vous que l'activité physique est notre alliée beauté? Le sujet semble moins sérieux que la santé et l'objectif paraît plus futile, mais, au fond, ne nous touche-t-il pas tous d'une certaine façon?

L'exercice a des effets à court terme sur votre apparence globale. Vous avez sans doute remarqué la brillance dans vos yeux et l'éclat rosé de vos joues après un entraînement. Voilà un effet observable sur-le-champ. Mais il existe également des effets à plus long terme. Jetons-y un coup d'œil.

1 Profiter des vertus « anti-âge » de l'activité physique

Une étude réalisée par une équipe de l'Université de St-Andrews, en Grande-Bretagne, a récemment attiré mon attention. Dans le cadre d'un programme nommé *Active Nation*, lancé en 2014 pour inciter les Écossais à bouger davantage, des chercheurs ont tenté une expérience des plus originales: avec la collaboration de trois volontaires âgés de 20, 30 et 43 ans, ils ont prévu l'impact de l'activité physique sur le vieillisse-ment du visage. Le but de cette étude était fort simple: démontrer qu'un mode de vie sain influe non seulement sur l'état de santé des gens, mais aussi sur leur apparence physique.

En tenant compte de l'âge ainsi que de la prise de poids moyenne par année en fonction du sexe, les spécialistes ont créé, à l'aide de l'informatique, une projection des visages de ces trois personnes à différents âges. Ils les ont imaginées dans 5 ans, 10 ans et 20 ans, en supposant que leur niveau d'activité physique d'ici là serait inférieur à 30 minutes par jour, pour un minimum de 5 jours par semaine. Parallèlement, ils ont aussi re-créé les mêmes visages, pour les mêmes époques à venir, mais en présumant que les participants seraient physiquement actifs, 30 minutes par jour, 5 jours par semaine.

C'est au niveau du cou et de la mâchoire que la différence s'est révélée la plus marquante. Le mode de vie sédentaire entraînait une peau plus relâchée et plus flasque. Au niveau des yeux et du front, les portraits des individus sédentaires montraient une couche adipeuse plus importante.

Une des participantes de l'étude a dit ceci : « Les photos m'ont franchement bouleversée ! Lorsqu'on est jeune, on ne pense pas à ce qu'on aura l'air dans 20 ans, mais de le voir ainsi me donne une raison de plus pour me motiver à bouger plus souvent ! »

La course à pied peut-elle faire vieillir la peau plus rapidement ?

On le sait, le relâchement de la peau du visage fait partie du vieillissement normal, mais plusieurs personnes pensent que la course à pied peut exacerber ce phénomène. Elles n'ont pas tout à fait tort.

Contrairement à la croyance populaire, ce n'est pas l'effet de la gravité et les constants contrecoups de la course qui en seraient responsables. Voici la raison : les tissus qui soutiennent la peau (le collagène et l'élastine) seraient endommagés à long terme par les radicaux libres, présents en grande quantité pendant un effort cardiovasculaire intense et prolongé.

Selon une étude publiée dans la revue interdisciplinaire *Free Radical Biology and Medicine*, il est désormais clair que c'est l'entraînement *à très haute intensité* qui provoquerait des dommages aux cellules de la peau. L'exercice modéré, même exécuté de 3 à 5 fois par semaine, aurait, au contraire, un effet rajeunissant sur la peau.

Si vous avez l'intention de pratiquer la méthode d'entraînement HIIT, présentée au chapitre 2, ne vous en faites pas puisque l'effet négatif des radicaux libres sur la peau entre en jeu après environ 90 minutes de cardio à haute intensité.

2   *Suer... pour avoir une belle peau!*

La peau est notre plus grand organe et elle a besoin d'être nettoyée régulièrement. Or, la transpiration joue un rôle clé à ce chapitre. Après l'exercice, l'épiderme est plus éclatant, plus lumineux. La sudation améliore l'aspect de la peau, qui «s'autonettoie» en quelque sorte en favorisant l'évacuation des impuretés qui encombrent les pores de la peau.

Le sang et la lymphe amènent les déchets jusqu'aux reins, aux poumons et au foie, dans le but de les éliminer, mais aussi jusqu'à la peau, avec le même objectif. Au niveau cutané, c'est la transpiration qui fait tout le boulot! Précisons toutefois que la fonction première de la sudation est de régulariser la température de notre corps, et non pas de «faire le ménage» de nos déchets corporels.

Est-ce une bonne idée de faire du «yoga chaud» ou toute autre activité qui favorise une grande sudation?

Ajouter une activité physique à son horaire est toujours une bonne idée. Le faire uniquement pour suer davantage, en imaginant que notre peau sera plus belle et que les toxines en seront libérées, voilà qui est peut-être moins judicieux. Le «yoga chaud» est actuellement très populaire. Cette forme de yoga a plusieurs vertus, mais le nettoyage des toxines n'en est pas une.

La «détoxification» est au centre de plusieurs controverses en ce moment et le mot est utilisé à plusieurs sauces. Sachez simplement que le corps dispose de tout ce qu'il a besoin pour faire son travail d'élimination. Il est donc inutile de faire des cures de quelque sorte que ce soit pour «éliminer les toxines».

Fiez-vous à vos sensations. Si vous avez choisi de faire du yoga chaud, ou toute autre activité physique qui vous fait suer abondamment, et que vous vous sentez bien... en principe, cela signifie que cette activité physique est un bon choix pour vous.

Travailler ses muscles stabilisateurs pour améliorer sa posture

Notre posture est un précieux indice de ce que nous vivons. Il est difficile de se tenir bien droite, la tête haute et les épaules détendues et vers l'arrière, lorsque nous ressentons de la tristesse ou de la colère. À l'inverse, faites le test : regardez-vous dans un miroir et souriez. Pensez à tout ce qu'il y a d'heureux dans votre vie. Riez même ! En même temps, tentez d'arrondir le dos, de pencher la tête et de prendre un air déprimé. Pas facile. Effectivement, notre posture est bien souvent le reflet de notre âme.

Une meilleure posture est aussi un gage d'énergie positive. Et la beauté part fréquemment de cette bienveillante énergie que nous pouvons dégager autour de nous. Un compliment comme « Tu es resplendissante » ou « Tu rayonnes » est bien davantage relié à notre façon d'être et à l'énergie que nous dégageons qu'à la couleur de nos yeux ou à l'harmonie de nos traits.

L'activité physique a un impact direct sur la posture. Les exercices de renforcement musculaire qui impliquent les muscles qu'on appelle « stabilisateurs » ont plusieurs objectifs, dont celui de renforcer les muscles du dos et des abdos, qui vont améliorer, entre autres, la posture. Assurez-vous de les inclure dans votre programme d'entraînement. Sachez aussi qu'une simple marche régulière, pendant laquelle vous prenez conscience de votre posture en engageant vos abdominaux et en ouvrant les épaules, va aussi grandement contribuer à vous donner belle allure.

L'entraînement permet également de développer cette qualité que l'on appelle la « conscience corporelle ». Au fil des semaines, et des mois, on devient plus consciente de sa position dans l'espace, parfois sans même s'en rendre compte. Cela a un effet positif sur notre apparence générale.

L'EXERCICE : BON POUR LA CONFIANCE EN SOI

Un peu de la même façon que la posture, la fierté et l'assurance jouent un rôle clé sur l'image que nous projetons dans notre entourage. L'exercice est souvent le point de départ.

Avez-vous déjà remarqué l'effet formidable de l'entraînement sur votre confiance ? Que vous vous entraîniez comme une athlète ou que vous souleviez vos premières haltères, la sensation d'avoir « accompli quelque chose » vous procurera une grande fierté. Et quoi de mieux que la fierté pour nous aider à dégager une magnifique assurance !

LES NOMBREUX BÉNÉFICES BEAUTÉ DE L'ACTIVITÉ PHYSIQUE

Toutes les raisons sont bonnes pour bouger souvent, y compris avoir belle allure. On ne soupçonne pas toujours les nombreux effets que peut avoir l'activité physique sur notre apparence. Voici 8 aspects de votre beauté qui seront rehaussés par un entraînement régulier.

1. Une peau en santé

J'ai abordé le sujet plus en détail à l'astuce 2, mais j'ajouterais que l'exercice diminue l'acné et améliore la texture de la peau. La sueur aide à nettoyer les pores de la peau, en la libérant des saletés et des huiles accumulées.

2. Un éclat instantané

L'afflux sanguin au visage vous donne un éclat naturel qui reste souvent quelques heures après l'exercice. Le fait d'activer la respiration et d'augmenter l'apport en oxygène confère à votre visage une apparence saine.

3. Des cheveux sains

Pendant l'activité physique, votre cuir chevelu est nourri, lui aussi, par une augmentation de la circulation sanguine. Il a été démontré que les cheveux sont en meilleure santé, plus forts et plus brillants chez les gens qui s'entraînent régulièrement. Et puisque le stress fait augmenter significativement la perte de cheveux, il est évident que l'activité physique (qui a un effet direct sur la réduction du stress) favorise, par la bande, une chevelure plus abondante.

4. Un meilleur contrôle de la cellulite

Qu'on se le dise, la cellulite découle en grande partie de facteurs génétiques. Et contrairement à ce que certaines personnes pensent, elle n'est pas un signe de surpoids. Plusieurs femmes ayant un poids santé ont de la cellulite.

Les produits miracles, les régimes à la mode, et toutes les méthodes commerciales pour éradiquer la cellulite ont un taux de réussite extrêmement faible. Même l'exercice n'offre pas de garantie.

Là où l'activité physique peut faire une différence, c'est notamment dans son lien avec l'alimentation. Une saine alimentation combinée à une pratique régulière de l'activité physique peut avoir un effet (petit ou grand) sur la cellulite.

Selon certains textes de l'ayurvéda (la médecine traditionnelle originaire de l'Inde), la cellulite serait causée entre autres par un mauvais fonctionnement du système lymphatique. Le simple fait de bouger régulièrement et de s'hydrater convenablement chaque jour régularise le système lymphatique et en améliore le travail, ce qui pourrait avoir un effet sur la cellulite.

5. Moins de rides précoces

L'exercice diminue le stress, c'est bien connu. Par conséquent, il entraîne aussi une réduction du taux de cortisol, une hormone directement reliée au stress. Or, on sait maintenant que le cortisol interfère avec la production de collagène, cette sublime protéine qui permet à la peau de rester souple et de « s'autoréparer », empêchant ainsi l'apparition précoce des rides et des ridules. De surcroît, l'exercice favorise une meilleure production de collagène !

6. Un meilleur teint

Les problèmes de digestion ont un lien plus intime qu'on ne le pense avec nos problèmes cutanés. Une mauvaise digestion peut même affecter notre teint. L'activité physique régulière peut contribuer à remédier à cela aussi ! Selon plusieurs études, les exercices qui renforcent les muscles abdominaux profonds favorisent, et même accélèrent, la transformation de la nourriture et la digestion.

7. Un air plus reposé

Si vous avez pratiqué une activité physique dans la journée, vous dormirez probablement mieux la nuit suivante, et, si cela est possible, vous dormirez plus longtemps. Lorsque vous dormez, votre corps produit une hormone de croissance qui aide à la réparation et à la reproduction des cellules. Le sommeil favorise aussi une meilleure production de collagène, « pour une peau plus douce d'apparence plus jeune » !

8. Une allure énergique et joyeuse

Si vous faites de l'exercice de façon régulière, vous diminuez vos risques de souffrir de dépression ou d'anxiété. Le niveau de stress est plus bas grâce à la sérotonine et à la dopamine qui circulent alors en plus grande quantité dans votre corps. Cet effet positif sur l'humeur, en lien avec l'exercice, aura une action directe sur votre langage corporel et sur votre apparence en général.

Passez à l'action!

Dans les centres de conditionnement physique, de nos jours, les clientes ont plus que jamais des corps, des âges et des conditions physiques variés. N'est-ce pas formidable? De plus en plus de femmes s'entraînent désormais pour les bonnes raisons: se sentir mieux dans leur tête et dans leur corps. Pour la plupart d'entre elles, l'objectif principal est donc la santé. Ensuite, elles souhaitent obtenir, à plus ou moins long terme, des améliorations sur le plan de la silhouette et de l'apparence en général.

Comme je l'ai mentionné au chapitre 4, un programme d'entraînement ne peut être élaboré en fonction de pertes de poids localisées. Il serait faux de croire qu'en faisant plus d'exercices pour les abdominaux, par exemple, vous perdrez votre ventre. De la même façon, ce n'est pas en levant la jambe latéralement 50 fois par jour, allongée sur votre côté, que vous diminuerez «la culotte de cheval»...

On peut toutefois travailler certaines régions du corps pour renforcer des groupes musculaires ciblés. Pour ce faire, voici donc un programme très simple et plutôt «classique»; il comporte des exercices de renforcement musculaire que vous pouvez effectuer à votre centre de conditionnement physique, à la maison ou même au travail pour améliorer votre posture et vous sentir bien dans votre peau.

LES EXERCICES CIBLÉS

 ### Les grands pliés

Muscles ciblés: Fessiers, quadriceps, ischio-jambiers, stabilisateurs.

Position de départ: Debout, le dos très droit et les pieds légèrement tournés vers l'extérieur. Les mains sont sur les hanches.

1. Pliez vos genoux lentement en les maintenant bien alignés avec vos pieds et descendez lentement. Vous sentirez un travail très efficace dans les cuisses.

Important: Lorsque vous fléchissez les genoux, vos hanches doivent rester sous vos épaules, et vous devez garder le dos bien droit, contrairement au mouvement du squat (autre page) pendant lequel les épaules avancent et les fesses reculent.

2. Remontez avec autant de contrôle, jusqu'à l'extension complète. Évitez de barrer les genoux.

Faites de 8 à 15 répétitions.

Les bras

(SUR UN APPUI: STEP, TABLE BASSE
OU MARCHE D'ESCALIER)

Muscles ciblés: Triceps.

Position de départ: Assise sur le step (ou autre point d'appui), les pieds au sol. Les mains sont près des hanches de chaque côté. Assurez-vous que vos doigts sont vers l'avant.

1. Placez vos fessiers dans le vide, au-dessus du sol.
2. En gardant le dos le plus près possible du step, fléchissez les coudes jusqu'à un maximum de 90 degrés en descendant les fessiers. Gardez la tête haute et les épaules basses; pointez bien les coudes vers l'arrière, et non vers les côtés;
3. Remontez doucement en évitant de bloquer les coudes à la fin de l'extension.

Faites de 8 à 15 répétitions lentes.

 ## Les squats

Muscles ciblés: Quadriceps, fessiers, ischio-jambiers et stabilisateurs du tronc.

Position de départ: Debout, dos bien droit, jambes écartées et bras devant vous.

1. Penchez vos épaules vers l'avant et poussez vos fessiers vers l'arrière pendant que vous pliez les genoux, comme si vous alliez vous asseoir.
2. Descendez doucement, mais ne dépassez pas la ligne horizontale que pourraient former vos cuisses.

Faites de 10 à 15 répétitions.

Les pompes

(SUR UN APPUI : COMPTOIR, STEP, BANC D'ENTRAÎNEMENT, BANC DE PARC, ETC.)

Muscles ciblés : Muscles stabilisateurs des épaules, des coudes et des poignets ; pectoraux, deltoïdes, triceps.

Position de départ : Les mains sont sur l'appui que vous avez choisi, à la largeur de vos épaules. Vos jambes sont allongées de façon à former une ligne droite avec le corps. Gardez la tête dans le prolongement du dos.

1. Pliez les coudes lentement.
2. Remontez tout aussi lentement.

Faites le nombre de répétitions qui vous convient, mais les 2 dernières devraient être difficiles à compléter. Essayez d'en rajouter 1 ou 2 à chaque entraînement.

Variante : Les pompes sur une marche d'escalier

Quel est l'avantage de l'escalier ? Le choix de la hauteur de la marche !

Devant l'escalier, à genoux sur une serviette, déposez les mains à plat sur la marche qui vous convient le mieux. Plus elle est basse, plus l'exercice sera intense.

Gardez le dos bien droit et la tête dans son prolongement. Descendez en fléchissant les bras, puis remontez sans bloquer les coudes.

Faites au moins 6 répétitions et essayez d'en ajouter au fil des jours. Les 2 dernières doivent être difficiles.

À retenir

Peu importe l'appui que vous choisirez, vous pouvez toujours faire des pompes sur les genoux ou sur les pieds. Au besoin, vous placez une serviette sous vos genoux pour plus de confort. Quelle que soit la position choisie, il est important de stabiliser le tronc en gainant la sangle abdominale et en adoptant la position de la planche (voir ci-dessous).

 ## 5 Les fentes avant

Muscles ciblés : Quadriceps, fessiers, ischio-jambiers, stabilisateurs du tronc.

Position de départ : Debout, les mains sur les hanches, les abdominaux contractés et les jambes ensemble.

1. Faites un grand pas en avant avec une jambe, en prenant soin de former un angle de 90 degrés avec le genou. Veillez à ce que le genou ne dépasse pas la ligne verticale de la cheville.
2. Maintenez la position 2 secondes, puis poussez pour revenir à la position de départ.
3. Faites la même séquence de l'autre côté. Poursuivez en alternant.

Faites 16 répétitions au total.

Note : Gardez le dos droit et contractez les abdominaux pendant le mouvement.

6 Le pont

Muscles ciblés : Fessiers et ischio-jambiers.

Position de départ : Étendez-vous sur le dos, genoux fléchis, les bras allongés de chaque côté du corps. Les hanches sont légèrement soulevées pour former une ligne presque droite : tronc - fesses - cuisses.

1. Poussez les hanches vers le haut en serrant les muscles fessiers.
2. Tenez 2 temps, puis redescendez dans un mouvement contrôlé.

Faites 12 à 16 répétitions.

Variante : Pour augmenter l'intensité, vous pouvez maintenir une jambe allongée pendant toutes les répétitions.

SÉRIE D'EXERCICES POUR LES ABDOS

Pour tous les exercices ciblant les muscles abdominaux, le nombre de répétitions variera selon l'intensité voulue et votre niveau de condition physique.

La règle d'or est simple : pour que l'exercice soit efficace, il est primordial que les dernières répétitions soient difficiles à compléter.

 ## *La planche*

(SUR UNE TABLE DE SALON, UNE TABLE DE CHEVET, UN BANC D'ENTRAÎNEMENT, ETC.)

Position de départ : Placez les mains légèrement plus larges que les épaules. Ne bloquez pas les coudes et allongez les jambes loin derrière vous.

1. Rentrez le ventre et imaginez que vous serrez une vis dans votre nombril. Gardez la tête, le tronc et les jambes alignés sans bloquer les coudes.
2. Maintenez cette position de « la planche » pendant au moins 10 secondes et augmentez graduellement la durée.

Variante : Vous pouvez faire la planche au sol, pour augmenter l'intensité de l'exercice.

 ## *Le grimpeur*

Position de départ : La planche (voir l'exercice précédent)

1. Tirez le genou droit vers l'abdomen en contractant les muscles du ventre, puis revenez à la position de départ.
2. Reprenez la séquence du côté gauche. Alternez ainsi d'une jambe à l'autre pour bien sentir la sollicitation de vos abdominaux.

Pour augmenter l'intensité, passez directement d'un pied à l'autre en sautillant entre les 2. Gardez la contraction profonde de vos abdominaux.

Répétez au moins 8 fois de chaque côté.

Les abdos assis

Position de départ: Assise, les genoux pliés, les pieds à plat au sol et le dos bien droit; les bras sont tendus devant vous et vous tenez une serviette enroulée, un coussin ou tout autre objet afin que ce soit confortable.

1. Reculez légèrement le tronc en tirant la serviette vers le buste. Serrez le ventre.
2. Poussez simplement les bras vers le haut, directement au-dessus des épaules.
3. Revenez à la position précédente (étape 1).
4. Reprenez la position initiale.

Répétez autant de fois que nécessaire, jusqu'à ce que le mouvement devienne plus difficile à compléter.

 ## Les enroulés classiques, croisés

Position de départ: Assise au sol, les mains à la nuque, la cheville droite sur le genou gauche; la jambe gauche est fléchie, pied au sol.

1. Soulevez les épaules en croisant: l'épaule gauche se dirige vers le genou droit.
2. Redescendez, puis reprenez du même côté pour 8 répétitions.
3. Inversez la position (placez maintenant la cheville gauche sur le genou droit, le pied droit au sol) et reprenez le mouvement inversé pour 8 répétitions.

Répétez le cycle 3 ou 4 fois.

CHAPITRE 6

Des défis à tout âge

Notre vie entière, en tant que femmes, est influencée par des fluctuations hormonales importantes.
Il est maintenant clairement démontré et accepté que l'alimentation et l'activité physique tiennent un rôle clé dans le traitement des symptômes liés à ces changements hormonaux.

Parmi les périodes cruciales vécues par une majorité de femmes, à différents âges, nous en avons ciblé trois : le syndrome prémenstruel, la grossesse et la ménopause. À chaque défi ses recommandations !

Le syndrome prémenstruel

Le syndrome prémenstruel (SPM) touche au moins 75 % des femmes à un moment dans leur vie. Pour 40 % d'entre elles, les symptômes ressentis sont suffisamment importants pour nécessiter une aide médicale. Mais le traitement du SPM passe aussi par l'amélioration des habitudes alimentaires, l'activité physique et la gestion du stress.

Les astuces d'Isabelle

Voici les stratégies nutritionnelles que je vous propose pour contrer le mieux possible les symptômes du SPM.

1. DIMINUER SA CONSOMMATION D'ALIMENTS POUVANT EXACERBER LES SYMPTÔMES

Les aliments riches en sodium

Comme les aliments qui contiennent beaucoup de sel peuvent contribuer à la rétention d'eau, il est préférable de limiter leur consommation. Environ 77 % du sodium consommé provient des aliments transformés. Voici quelques astuces pour ne pas dépasser l'apport maximal tolérable, établi à 2300 mg par jour:

→ Lisez le tableau d'information nutritionnelle sur les emballages et choisissez les aliments qui apportent 5 % et moins de la valeur quotidienne en sodium.

Les symptômes les plus courants du SPM sont :

→ **physiques:** ballonnements abdominaux, maux de tête et migraines, gonflement des extrémités, sensibilité des seins ;

→ **psychologiques:** irritabilité, agressivité, anxiété, dépression, confusion.

→ Diminuez votre consommation d'aliments transformés
  et cuisinez davantage.
→ Optez pour les produits céréaliers qui apportent 140 mg
  de sodium ou moins par portion.
→ Troquez la salière pour les épices et les fines herbes.

Les aliments riches en sucres concentrés

Des études ont montré que ces aliments sucrés exacerbaient certains symptômes prémenstruels. Mes astuces pour diminuer votre
consommation de sucre :

→ En guise de dessert, optez plus souvent pour du yogourt,
  des fruits ou des desserts laitiers (tapioca, pouding au riz,
  blanc-manger).
→ Préférez les fruits aux jus de fruits et évitez les cocktails fruités.
→ Lisez la liste des ingrédients sur les emballages et optez pour
  les produits dont le sucre ne figure pas parmi les trois premiers
  ingrédients.
→ Diminuez de 25 % le sucre dans les desserts que
  vous cuisinez.

Les boissons contenant de la caféine et de l'alcool

La consommation excessive de caféine entraîne de l'irritabilité, de
l'anxiété et de l'insomnie, des symptômes associés au SPM. Quant
à l'alcool, il est clairement relié à l'augmentation des symptômes.
Voici les astuces que je vous propose à ce chapitre :

→ Limitez votre consommation de caféine à 400 mg par jour,
  soit 3 cafés de 250 ml (1 tasse).
→ Ne buvez aucune boisson énergisante.
→ Limitez l'alcool à 1 consommation par jour ; 1 consommation
  équivaut à 150 ml (5 oz) de vin à 12 % d'alcool, à 1 bière
  de 341 ml (12 oz) à 5 % d'alcool et à 45 ml (1 ½ oz) de spiritueux
  à 40 % d'alcool.

2. PRIVILÉGIER LES ALIMENTS RICHES EN CALCIUM

Certaines études ont montré que le calcium contenu dans certains aliments protégerait du SPM. Les suppléments de carbonate de calcium (1200 mg par jour) seraient aussi recommandés; c'est le supplément qui recueille le plus d'évidences scientifiques. Voici mes astuces pour augmenter votre apport quotidien en calcium:

→ Buvez chaque jour du lait ou une boisson végétale enrichie en calcium.
→ Mangez du yogourt ainsi que des desserts à base de produits laitiers ou de leurs substituts.
→ Allongez votre café avec une bonne part de lait.
→ Faites cuire vos céréales chaudes dans du lait.

3. CONSIDÉRER LA PRISE DE CERTAINS SUPPLÉMENTS

Plusieurs suppléments ont été étudiés pour leur rôle dans le soulagement du SPM. La vitamine E, la vitamine B_6 (pyridoxine) en concentration élevée (100 mg) et le magnésium ont tous fait l'objet d'études suggérant leur utilité. Toutefois, leur recommandation à toutes les femmes aux prises avec le SPM ne fait pas l'unanimité.

Et les suppléments naturels?

En ce qui concerne l'huile d'onagre et le gingko biloba, les résultats sont mitigés. Des conclusions plus prometteuses ont été obtenues avec le gattilier, l'actée à grappes noires, le trèfle rouge et le millepertuis, mais leur innocuité à long terme n'est pas déterminée (on ne sait donc pas s'ils auront des effets indésirables à un moment donné). Mieux vaut rester prudente face aux suppléments. L'important est d'en discuter avec son nutritionniste ou son médecin!

Les astuces
de Josée

Voici les types d'exercices recommandés pour atténuer les désagréments associés au SPM ainsi que les douleurs menstruelles.

LES EXERCICES AÉROBIQUES

Les exercices aérobiques semblent être le type d'activités physiques le plus recommandé pour réduire la plupart des symptômes liés au SPM. Durant la période menstruelle, les crampes abdominales (dysménorrhée) sont atténuées aussitôt que l'activité aérobique est amorcée. La hausse de la température corporelle et l'augmentation de la circulation sanguine font le travail. Il faut toutefois maintenir une intensité modérée de façon continue pendant au moins 20 minutes. De plus, l'exercice procure deux bonnes doses de soulagement, puisqu'il favorise la sécrétion de deux neurotransmetteurs: l'endorphine, qui masque la douleur, et la sérotonine, qui fait du bien au moral.

LA MUSCULATION

On sait désormais que les femmes qui font régulièrement de la musculation souffrent moins du syndrome prémenstruel. Toutefois, aucune étude n'a établi de façon scientifique les raisons de ce soulagement.

LE YOGA

Certaines postures de yoga ont assurément un effet apaisant et réconfortant chez les femmes souffrant du SPM. Elles diminueraient notamment les douleurs, le stress et l'irritabilité.

Gare à la carence en fer!

L'apport en oxygène dans les cellules musculaires est un élément clé de la performance sportive. On comprend donc toute l'importance des réserves corporelles de fer qui maintiennent, dans le sang, un taux optimal de globules rouges pour transporter l'oxygène. Or, la déficience en fer est parmi les plus courantes, particulièrement chez les femmes qui présentent de grandes pertes de sang durant leurs règles.

La déficience en fer peut progresser par stades jusqu'à sa forme la plus grave, l'anémie ferriprive, caractérisée par une faible quantité d'hémoglobine dans le sang due à des réserves de fer insuffisantes. On estime que près de 5% des femmes de 20 à 45 ans font de l'anémie ferriprive et que plus de 15% éprouvent un manque de fer sans que l'anémie soit déclarée. Dans ces cas, le nombre de globules rouges diminue, ce qui entraîne de la pâleur, de la fatigue, un manque de vitalité et une difficulté à maintenir sa température corporelle lorsqu'il fait froid. Par conséquent, l'aptitude à l'effort physique est réduite.

Reportez-vous aux astuces d'Isabelle, aux pages 10 à 14 de ce livre, pour connaître les meilleures façons de combler vos besoins en fer.

QUATRE POSTURES DE YOGA
POUR SOULAGER LES SYMPTÔMES DU SPM

 La position fœtale

Assoyez-vous au sol sur vos talons. Fléchissez le corps vers l'avant pour déposer votre tête sur le plancher. Allongez vos bras de chaque côté du corps, les paumes vers le ciel. Maintenez cette position quelques minutes en respirant confortablement.

② *Chien tête levée*
(URDHVA MUKA SVANASANA)

Allongez-vous sur le ventre et placez les mains de chaque côté de vos épaules, paumes au sol. À l'inspiration, levez la tête et le tronc, en allongeant les coudes, et soulevez les hanches. Maintenez les genoux tendus. Restez ainsi de 30 à 60 secondes en respirant confortablement.

 **Le grand V**

Placez-vous au pied d'un mur. Couchez-vous sur le dos, les fesses le plus près possible du mur, les jambes élevées, en appui sur celui-ci et ouvertes pour former un grand V. Restez dans cette position en respirant confortablement pendant environ 1 minute. Refermez les jambes en restant allongée pendant 1 minute. Refaites le grand V encore 1 minute.

 **Le pont**

Au sol, allongez-vous sur le dos, les bras étendus de chaque côté du corps. Fléchissez les genoux et ramenez les pieds le plus près possible de vos fesses. Soulevez les hanches, gardez la posture pendant 3 respirations complètes, puis redescendez doucement. Répétez de 8 à 10 fois.

La grossesse

À une certaine époque, on pouvait considérer la femme enceinte comme une personne affaiblie. Heureusement, les temps ont bien changé ! Aujourd'hui, on sait que, pendant la grossesse, une femme peut garder la forme et même se sentir plus vivante que jamais ! Pour profiter pleinement de ces neuf mois si uniques, voici nos conseils.

Les astuces
d'Isabelle

Une saine alimentation est primordiale durant la grossesse, puisque les besoins de la femme enceinte en nutriments – notamment en protéines, en fer, en folates, en calcium et en vitamine D – sont augmentés.

LES 7 RECOMMANDATIONS LES PLUS IMPORTANTES

1. Prendre un supplément de vitamines et de minéraux avant la conception

Les suppléments prénataux apportent notamment la bonne dose d'acide folique, une vitamine du complexe B essentielle pour contrer l'anémie mégaloblastique chez la mère et les malformations du tube neural chez l'enfant.

2. Hausser l'apport énergétique quotidien aux 2e et 3e trimestres

Cette hausse doit être de 350 calories au 2e trimestre, puis de 450 calories au 3e trimestre. Elle vise à répondre aux besoins accrus liés à la croissance du fœtus.

Au 1er trimestre, les besoins énergétiques de la femme enceinte n'augmentent pas (ils demeurent autour de 1900 calories par jour). Par la suite, au 2e trimestre, elle consommera normalement 2250 calories par jour, puis 2350 au 3e trimestre.

Pour bonifier l'apport énergétique, il suffit d'augmenter légèrement les portions de protéines et d'ajouter des fruits ainsi que des produits laitiers.

3. Augmenter l'apport en protéines

Les besoins en protéines chez la femme enceinte sont de 1,1 g/kg par kilo de poids (0,5 gramme par livre). Cet apport est aisément atteint par une alimentation diversifiée, alors nul besoin de prendre des suppléments protéiques.

Chez les femmes végétariennes, il est plus difficile de combler les besoins en fer. Reportez-vous au chapitre 1 pour des conseils à ce propos.

4. Faire provision de gras essentiels

Pour assurer le développement optimal des systèmes nerveux et visuel du fœtus, certains gras doivent être consommés. On les qualifie d'«essentiels» puisque l'organisme ne peut les synthétiser.

On trouve les gras essentiels dans le poisson, les graines de lin et de chia ainsi que dans les noix. Consultez l'astuce 4, «Combler ses besoins en acides gras essentiels», du chapitre 5 pour plus de détails à ce sujet.

5. Consommer au moins 150 g (5 oz) de poisson par semaine

Grâce à son contenu en gras oméga-3 d'origine marine, le poisson est un allié pour la santé de la mère et de l'enfant.

Toutefois, puisque la femme enceinte est particulièrement sensible aux contaminants (notamment le méthylmercure), des limites sont imposées pour des poissons prédateurs comme l'espadon et le thon rouge. Le thon blanc en conserve est aussi plus riche en mercure que le thon pâle. Au besoin, consultez le site de Santé Canada pour connaître les recommandations sur les quantités maximales à consommer.

6. Ne pas dépasser 300 mg de caféine par jour

Une consommation élevée de caféine peut augmenter le risque d'avortement spontané (fausse couche). Outre le café, le thé et le chocolat sont des sources de caféine.

Teneur en caféine de certains aliments et boissons*

Aliment ou boisson	Teneur en caféine
Café (200 ml/6 oz)	
Percolateur	72-144 mg
Filtre	108-180 mg
Instantané	60-90 mg
Thé (200 ml/6 oz)	
Faible	18-24 mg
Fort	78-108 mg
Certaines variétés de boissons gazeuses (1 cannette de 355 ml/12 oz)	28-64 mg
Tablette de chocolat (60 g/2 oz)	
Chocolat au lait	3-20 mg
Chocolat noir	40-50 mg

*Source : Agence de la santé publique du Canada.

7. Éviter l'alcool

L'alcool traverse la barrière placentaire et nuit considérablement au fœtus. Ce sont les excès qui deviennent toxiques, mais comme la dose néfaste n'est pas déterminée avec exactitude, l'abstinence sur ce plan est prônée.

Grossesse et gain de poids

Le gain de poids suggéré durant les neuf mois de gestation varie selon l'indice de masse corporelle (IMC)* prégrossesse. Voici les recommandations :

Poids avant la grossesse	Gain de poids suggéré
Poids insuffisant : IMC de 18,5 ou moins	De 12,7 à 18,2 kg (28 à 40 lb)
Poids normal : IMC de 18,5 à 24,9	De 11,3 à 15,9 kg (25 à 35 lb)
Surpoids : IMC de 25 à 29,9	De 6,8 à 11,3 kg (15 à 25 lb)
Obésité : IMC de 30 et plus	De 5 à 9 kg (11 à 20 lb)

* Pour savoir comment calculer votre IMC, reportez-vous au chapitre 4, page 106.

DES PROBLÈMES… ET DES SOLUTIONS

Les nausées

Les variations hormonales occasionnent des nausées chez 50 à 90 % des femmes enceintes. Normalement, elles cessent vers la 12e semaine de grossesse. Parfois, malheureusement, elles se prolongent plus longtemps. Voici mes conseils :

→ Mangez fréquemment, mais en petite quantité.

→ Mangez des aliments froids qui dégagent peu d'odeurs.

→ Mangez des aliments secs (rôtie, biscotte) au lit avant de vous lever.

→ Diminuez la consommation de caféine et d'aliments épicés.

→ Buvez des tisanes au gingembre.

Les brûlures d'estomac

Le reflux gastrique touche environ la moitié des femmes enceintes. Voici les solutions que je recommande :

→ Mangez des repas très légers et plusieurs collations.

→ Buvez entre les repas.

→ Évitez les mets très épicés.

→ Ne portez pas de vêtements serrés.

→ Soulevez légèrement la tête du lit.

La constipation

Plusieurs femmes enceintes souffrent de constipation, car le péristaltisme (mouvements de l'intestin) est affecté par les variations hormonales. Voici mes suggestions :

→ Augmentez votre consommation de fibres insolubles. Les légumineuses, les fruits et les légumes, le son de blé sont des sources intéressantes de fibres.

→ Consommez des probiotiques. Certaines bactéries lactiques (*BL Regularis*^{MC} notamment) ont fait leurs preuves en ce qui a trait à l'accélération du transit intestinal. En consommer chaque jour est encouragé.

→ Buvez quotidiennement 2 litres (8 tasses) de liquide (eau, tisanes, lait, etc.).

→ Ajoutez des pruneaux à votre déjeuner.

→ Bougez chaque jour. Sur ce sujet, Josée vous présente ses conseils pour mieux bouger durant la grossesse.

Les astuces
de *Josée*

Il est recommandé aux femmes dont la grossesse se déroule bien de rester actives durant les neuf mois de la gestation. Maintenir une bonne condition physique peut non seulement faciliter leur accouchement, mais aussi améliorer leur qualité de vie, pendant et après la grossesse.

Être en forme ne garantit pas un travail plus court ou plus facile lors de l'accouchement. Par contre, un bon système musculaire facilite les poussées. Et en étant plus endurante, vous serez mieux outillée pour faire face à un travail de longue durée, s'il y a lieu. Votre récupération sera aussi plus aisée et plus rapide. Bébé sera content d'avoir une maman en bonne forme physique, prête à passer des moments de qualité avec lui!

LES NOMBREUX AVANTAGES DE L'ACTIVITÉ PHYSIQUE PENDANT LA GROSSESSE

Bien qu'il soit possible de commencer son programme d'exercices en tout temps, il est préférable de ne pas attendre pour devenir plus active: le début de la grossesse est vraiment le moment idéal. Avant de choisir les activités physiques à inscrire à votre agenda, tenez compte de certains facteurs, notamment votre «routine» d'activité physique avant la grossesse, votre état de santé initial, votre âge et le stade de votre grossesse. Au besoin, prenez rendez-vous avec un spécialiste de la santé pour en discuter.

À retenir

Bouger durant la grossesse:

→ améliore la condition physique; → aide à contrôler la prise de poids; → favorise un bon sommeil; → diminue le risque de lombalgie (douleurs au bas du dos); → atténue les problèmes de varices ou de crampes; → aide à réduire le gonflement des pieds ou des chevilles; → soulage les difficultés de digestion; → aide à maintenir une meilleure posture; → diminue les risques de dépression post-partum; → régularise le taux de sucre dans le sang, diminuant ainsi les risques de diabète de grossesse; → réduit grandement le risque d'accouchement par césarienne.

LES EFFETS DE L'ACTIVITÉ PHYSIQUE SUR BÉBÉ

Selon des chercheurs de l'Université de Montréal et du Centre hospitalier universitaire mère-enfant Sainte-Justine, des exercices modérés effectués durant la grossesse pendant aussi peu que 20 minutes, 3 fois par semaine, pourraient améliorer le développement du cerveau du bébé. «Les effets de cette longueur d'avance pourraient avoir un impact tout au long de sa vie», explique le professeur Dave Ellemberg, qui a présenté, en compagnie des chercheurs Curnier et Labonté-Lemoyne, son étude au congrès Neuroscience en 2013, à San Diego.

Dire qu'il n'y a pas si longtemps, on suggérait aux femmes enceintes de se reposer et de se «ménager». Maintenant, on sait que leur ennemi numéro 1, comme pour le reste de la population, est la sédentarité ; c'est d'ailleurs l'une des principales causes de complications pendant la grossesse.

Le discours a donc changé au fil des décennies. Aujourd'hui, grâce à de tels résultats de recherche, les professionnels de la santé n'hésitent plus à encourager les futures mamans à bouger !

RETROUVER SON POIDS INITIAL APRÈS L'ACCOUCHEMENT

NOÉMIE ALLAITE SA FILLE DEPUIS SIX MOIS. Après l'accouchement, elle a perdu 3 kg (7 lb) sur les 10 kg (22 lb) qu'elle a pris durant la grossesse. Elle se sent découragée! On lui avait pourtant dit que le fait d'allaiter aidait les nouvelles mamans à perdre du poids plus rapidement. Incapable de se rendre au centre de conditionnement physique plus de deux fois par semaine, elle se demande ce qu'elle pourrait faire de plus pour retrouver sa taille d'avant bébé…

Il semble en effet que les femmes qui allaitent perdent leur excédent de poids plus rapidement que celles qui ont recours au lait maternisé. Fait intéressant: une partie du surplus de poids que les femmes prennent pendant la grossesse est nécessaire à la production du lait. Cependant, il faut avoir des attentes réalistes quant au temps nécessaire pour retrouver sa taille.

Dans une étude menée auprès de 110 femmes à l'University of Michigan School of Public Health, on a observé ceci: 4 mois après la naissance du bébé, les femmes qui allaitaient avaient perdu en moyenne 3,5 kg (8 lb), alors que les autres n'avaient perdu que de 1 à 2,5 kg (2 à 6 lb).

Après 1 an, l'écart se rétrécissait: les femmes qui allaitaient avaient perdu de 5,5 à 6 kg (12 à 13 lb), alors que celles qui donnaient le biberon avaient perdu de 3,5 à 4,5 kg (8 à 10 lb). Au bout de 18 mois d'observations, on a constaté que certaines femmes, qu'elles aient allaité ou pas, n'avaient pas encore retrouvé leur poids cible.

Ces résultats ne signifient pas que vous serez condamnée à conserver le poids que vous voudriez perdre! Si vous allaitez, vous découvrirez en vous plus d'énergie pour faire de l'exercice quand les boires de votre bébé seront plus espacés dans la journée.

Que vous allaitiez ou non, la meilleure stratégie est d'augmenter peu à peu votre niveau d'activité physique. Si vous manquez de temps pour aller au centre d'entraînement, emmenez bébé en promenade plus souvent, procurez-vous un DVD d'exercices que vous pourrez faire à la maison ou, si cela est possible, offrez-vous une rencontre avec un entraîneur privé qui établira avec vous un programme personnalisé.

Il vous faudra peut-être jusqu'à 14 mois pour retrouver le poids que vous aviez avant votre grossesse. Même si votre perte de poids est lente, en faisant plus d'exercice, vous vous sentirez mieux dans votre peau et vous serez de plus en plus motivée pour continuer…

Donnez-vous le temps et ne laissez pas la pression sociale ou des attentes irréalistes vous miner. Soyez fière de vos progrès et des défis que vous relevez tous les jours comme nouvelle maman!

La ménopause

La ménopause commence officiellement 12 mois après les dernières règles. L'âge moyen est 51 ans, mais la ménopause peut se produire de façon naturelle quelques années avant ou après.

Les astuces

d'Isabelle

Je fais partie des femmes qui ont vécu une ménopause précoce, en raison de mes deux ovariectomies. Bouffées de chaleur, prise de poids au niveau abdominal, perte de cheveux, hausse du taux de cholestérol et insomnie sont des symptômes avec lesquels je compose depuis des années. Je comprends donc parfaitement mes clientes lorsqu'elles arrivent, découragées, dans mon bureau. Avec une alimentation adaptée et une activité physique quotidienne, on peut réduire significativement l'ensemble des symptômes et améliorer sa qualité de vie.

Les résultats du Women's Health Initiative ont dérouté plusieurs médecins qui recommandaient largement l'utilisation de l'hormonothérapie substitutive dès l'arrivée de la ménopause. Considérant la controverse autour de cette pratique, plusieurs ont revu leur position. Si l'hormonothérapie combinée est assurément efficace pour réduire les symptômes de la ménopause, certaines femmes ont choisi de ne pas prendre d'hormones. Une alimentation optimale est alors la clé pour non seulement alléger les symptômes désagréables, mais également pour réduire le risque d'ostéoporose et de maladies cardiovasculaires.

Les symptômes associés à la ménopause

→ Gain de poids au niveau abdominal.
→ Augmentation de la masse grasse et diminution de la masse maigre.
→ Ballonnements.
→ Irritabilité et anxiété.
→ Hausse du cholestérol LDL (le «mauvais») et chute du cholestérol HDL (le «bon»).
→ Exacerbation des symptômes de l'hypothyroïdie.
→ Bouffées de chaleur.
→ Insomnie.
→ Sécheresse vaginale.

CONTRER LE GAIN DE POIDS

La prévalence du surpoids et de l'obésité est maximale chez la femme de 45 à 64 ans. La prise de poids est notamment reliée à une diminution de la dépense énergétique totale de 200 calories. Ainsi, les femmes brûlant moins de calories chaque jour, elles gagnent du poids facilement. Le métabolisme de base chute et on constate une diminution de la masse musculaire au profit d'une augmentation de la masse grasse. Comme ce sont les œstrogènes qui déterminent la localisation des graisses, l'arrivée de la ménopause favorise les dépôts graisseux au niveau abdominal, ce qui est d'autant plus néfaste pour la santé cardiovasculaire. On estime que les femmes gagnent en moyenne de 2,2 à 4,5 kg (5 à 10 lb) durant la ménopause.

Mais on peut contrer ce phénomène. Voici mes recommandations pour contrôler votre poids.

1. Réduire son apport énergétique journalier de 200 calories

Il est plus facile qu'on le croit de couper 200 calories chaque jour. Je vous propose 10 façons de le faire (voir page suivante), mais les possibilités ne manquent pas!

2. Réduire ses portions

Une façon simple de freiner la prise de poids est de revoir ses portions. On mange souvent beaucoup trop. Réduire sa consommation de viande et de féculent le soir et doubler les légumes, c'est toujours une stratégie gagnante.

3. Limiter sa consommation d'alcool

Aussi agréable soit-elle, la consommation d'alcool peut favoriser un gain pondéral. L'alcool apporte un nombre de calories significatif et stimule l'appétit. Je propose de se limiter à une consommation par jour la semaine et à deux par jour les week-ends. Une consommation d'alcool, c'est 150 ml (5 oz) de vin à 12 %, 341 ml (12 oz) de bière à 5 % ou 45 ml (1 ½ oz) de spiritueux à 40 % d'alcool.

4. Réduire sa consommation de gras

La ménopause étant associée à une baisse de l'oxydation des gras, il est recommandé de prioriser un régime faible en gras. Pour ce faire, choisissez, entre autres, des viandes maigres et des fromages qui contiennent moins de 20 % de matières grasses.

Essayez-le

Découvrez d'autres astuces pour atteindre votre poids santé au chapitre 4.

10 façons de couper 200 calories au quotidien

Au déjeuner

1. Manger une rôtie au beurre d'arachide, au lieu de deux rôties.

2. Boire un latte moyen fait avec du lait écrémé, plutôt qu'un grand café aromatisé avec de la crème fouettée.

3. Opter pour une tranche mince de jambon, plutôt que pour deux saucisses à déjeuner.

À la collation

4. Manger 60 ml (¼ tasse) de noix, plutôt que 125 ml (½ tasse).

5. Opter pour un muffin cuisiné maison, plutôt que pour celui du commerce.

À l'apéro

6. Boire un seul verre de vin, plutôt que deux verres (et évitez les grignotines prises en apéro).

Au souper

7. Manger 250 ml (1 tasse) de pâtes, plutôt que 500 ml (2 tasses).

8. Limiter la portion de viande par repas à 90 g (3 oz), au lieu de 180 g (6 oz).

En soirée

9. Grignoter 750 ml (3 tasses) de maïs soufflé, plutôt que 500 ml (2 tasses) de croustilles régulières.

10. Boire un grand verre d'eau chaude citronnée ou une tisane, au lieu de manger deux biscuits.

SOULAGER LES BALLONNEMENTS ET LES INCONFORTS DIGESTIFS

Outre le ventre qui prend de l'expansion, plusieurs femmes ménopausées souffrent de ballonnements et d'autres problèmes digestifs. Voici mes conseils pour y remédier :

→ Décalez toujours le dessert 1 heure après le repas, même s'il s'agit d'un fruit ou d'un yogourt, afin de faciliter la digestion.

→ Limitez votre consommation de boissons avec des bulles : les eaux pétillantes, les jus pétillants et les boissons gazeuses font rentrer de l'air dans le système digestif et causent des ballonnements.

→ Consommez des probiotiques tous les jours afin d'améliorer l'équilibre de votre flore intestinale et, ainsi, de faciliter votre digestion.

→ Réduisez la consommation d'aliments gazogènes, comme le chou, les choux de Bruxelles et les légumineuses.

→ Prenez des repas légers qui ne surchargent pas votre estomac.

→ Mastiquez bien chaque bouchée.

DIMINUER LES BOUFFÉES DE CHALEUR

Quelques conseils simples pour réduire ces bouffées de chaleur :

→ Diminuez la consommation de boissons chaudes et de mets épicés.

→ Réduisez votre consommation d'alcool et de caféine.

→ Ajoutez des phytoestrogènes à votre menu au quotidien.

Les phytoestrogènes

En Occident, de 70 à 80 % des femmes ménopausées souffriraient de bouffées de chaleur, comparativement à 10 à 14 % des femmes asiatiques. Pas étonnant que de nombreuses études aient porté sur la question !

Les composantes qui soulèvent le plus d'intérêt au sein des chercheurs sont sans aucun doute les phytoestrogènes. Retrouvées naturellement dans les aliments, elles ont une action œstrogénique une fois transformées par une bactérie intestinale. Parmi les différents types de phytoestrogènes, on trouve les isoflavones, les lignanes et le coumestan. De tous les types de phytoestrogènes, les isoflavones, présents principalement dans la fève de soya mais également dans les lentilles et les pois chiches, sont les plus étudiés. Les graines de lin sont non seulement riches en acide αlinolénique (un gras de type oméga-3), mais également la source principale de lignane. Je propose d'en prendre 15 ml (1 c. à soupe) chaque jour. Quant au coumestan, on le trouve dans les pousses de luzerne et les haricots mungo.

En Amérique du Nord, la consommation moyenne de phytoestrogènes est de 1 ou 2 mg par jour, alors qu'en Asie, elle varie de 20 à 80 mg. L'ajout de phytoestrogènes au menu quotidien pourrait apporter certains bénéfices, bien que les résultats des études à ce sujet soient encore controversés (voir l'encadré « Soya et cancer du sein : les faits » p. 190). Certaines d'entre elles rapportent des bénéfices à des concentrations quotidiennes de 50 à 100 mg.

Lorsqu'une femme a des bouffées de chaleur importantes et qu'elle ne prend pas d'hormones de substitution pouvant les soulager, je lui suggère de consommer davantage de phytoestrogènes, qu'elle trouvera principalement dans le soya et les graines de lin (voir le tableau de la p. 190, pour connaître les meilleures sources).

Plusieurs suppléments renfermant des doses concentrées de phytoestrogènes sont vendus en pharmacie. Ils peuvent représenter une solution de remplacement aux aliments qui en contiennent naturellement. Les suppléments comportant une dose suffisante de génistéine (un type d'isoflavones) semblent les plus efficaces.

Bon à savoir

Les femmes qui souffrent d'hypothyroïdie doivent consulter leur pharmacien avant de consommer du soya, car il nuit à l'action de la lévothyroxine (Synthroid).

Soya et cancer du sein : les faits

Si le soya protège du cancer du sein lorsqu'il est introduit tôt dans la vie (avant la puberté), son rôle préventif est moindre, voire nul, s'il est intégré plus tard.

Considérant que les phytoestrogènes agissent comme de faibles œstrogènes, certains médecins craignent que la consommation de soya puisse stimuler les récidives de cancers hormonodépendants. Or, de récentes études indiquent plutôt le contraire. Une analyse publiée en 2014 et menée auprès de 9514 survivantes du cancer du sein, suivies pendant 7 ans, a démontré que l'ingestion de soya diminuait le risque de récidive de 25 %.

Considérant la controverse, les femmes qui ont eu un cancer du sein pourront consommer des sources alimentaires de phytoestrogènes quelques fois par semaine, mais elles éviteront la prise de suppléments.

Les meilleures sources de phytoestrogènes

Aliment	Portion	Quantité de phytoestrogènes
Fèves de soya, frais (edamames)	125 ml (½ tasse)	45,7 mg
Graines de lin	15 ml (1 c. à soupe)	40,8 mg
Tofu	100 g (3 ½ oz)	27,1 mg
Fèves de soya, grillées	60 ml (¼ tasse)	21,3 mg
Tempeh	100 g (3 ½ oz)	18,3 mg
Yogourt de soya	100 g (3 ½ oz)	10,3 mg
Boisson de soya	250 ml (1 tasse)	7,4 mg
Pain aux graines de lin	1 tranche (50 g / 1 ¾ oz)	3,8 mg
Soupe miso	250 ml (1 tasse)	3,4 mg
Graines de sésame	60 ml (¼ tasse)	2,7 mg

Besoin d'inspiration ? On manque en effet parfois d'idées pour consommer davantage de phytoestrogènes. Voici quelques recettes simples et délicieuses qui vous permettront de profiter des bienfaits du miso et des fèves de soya (edamames), ces aliments favorables à l'équilibre hormonal. La soupe de miso, très populaire au Japon, a été associée à la prévention du cancer du sein chez les Japonaises. Quant aux grignotines de soya, elles font de délicieuses collations !

Soupe de miso, tofu et oignons verts

1 PORTION

VALEUR NUTRITIVE PAR PORTION
CALORIES: 200 **PROTÉINES:** 19 g **GLUCIDES:** 8 g **LIPIDES:** 10 g **FIBRES:** 2 g **CALCIUM:** 10 % **FER:** 20 %

Ingrédients

500 ml (2 tasses) d'eau
15 ml (1 c. à soupe) de miso
2 ml (½ c. à thé) de coriandre, moulue
15 ml (1 c. à soupe) d'oignons verts

100 g (3 ½ oz) de tofu mou,
   coupé en cubes
125 ml (½ tasse) d'épinards
2 ml (½ c. à thé) de gingembre frais, râpé

Préparation

1- Dans une casserole, faire bouillir l'eau et y dissoudre le miso.

2- Ajouter la coriandre, les oignons verts, le tofu, les épinards et le gingembre, réduire le feu et laisser mijoter 5 minutes.

3- Verser dans un bol et servir.

Variante: Remplacer le tofu mou par du tofu ferme.

Suggestion d'accompagnement: Ajouter des nouilles de riz pour un repas plus soutenant.

Edamames en salade, feta et menthe

1 PORTION

VALEUR NUTRITIVE PAR PORTION
CALORIES: 440 **PROTÉINES:** 28 g **GLUCIDES:** 19 g **LIPIDES:** 28 g **FIBRES:** 9 g **CALCIUM:** 30 % **FER:** 35 %

Ingrédients

250 ml (1 tasse) d'edamames surgelés
50 g (1 ¾ oz) de feta léger
30 ml (2 c. à soupe) de poivron jaune,
   en petits dés

15 ml (1 c. à soupe) de feuilles de menthe
   fraîche, ciselées
Sel et poivre, au goût
5 ml (1 c. à thé) de vinaigre balsamique blanc
2 ml (½ c. à thé) de moutarde de Dijon
15 ml (1 c. à soupe) d'huile d'olive

Préparation

1- Cuire les edamames dans l'eau bouillante salée de 3 à 4 minutes. Égoutter. Déposer dans un bol à salade.

2- Émietter le feta dans le bol. Ajouter le poivron jaune et les feuilles de menthe. Assaisonner.

3- Préparer la vinaigrette en mélangeant le vinaigre balsamique, la moutarde de Dijon et l'huile d'olive. Verser sur la salade.

Variante: Remplacer les feuilles de menthe par du basilic.

Pétoncles en croûte de miso

1 PORTION

VALEUR NUTRITIVE PAR PORTION
CALORIES: 240 **PROTÉINES:** 10 g **GLUCIDES:** 10 g **LIPIDES:** 18 g **FIBRES:** 2 g **CALCIUM:** 8 % **FER:** 10 %

Ingrédients

5 ml (1 c. à thé) de miso

5 ml (1 c. à thé) de sirop d'érable

3 gros pétoncles

15 ml (1 c. à soupe) de graines de sésame, grillées

5 ml (1 c. à thé) de vinaigre de riz

5 ml (1 c. à thé) d'huile de sésame

10 ml (2 c. à thé) d'huile de canola

180 ml (¾ tasse) de chou nappa, émincé

Sel et poivre, au goût

Préparation

1- Mélanger le miso avec le sirop d'érable. À l'aide d'un pinceau de cuisine, enduire la surface des pétoncles de ce mélange, puis recouvrir de graines de sésame grillées.

2- Dans une poêle chauffée à intensité moyenne, faire cuire les pétoncles à l'unilatéral (un seul côté) de 4 à 5 minutes. Réserver.

3- Préparer la vinaigrette en mélangeant le vinaigre de riz, l'huile de sésame et l'huile de canola.

4- Mettre le chou dans un bol et verser la vinaigrette. Assaisonner. Déposer les pétoncles sur le chou.

Variante : Remplacer les pétoncles par un filet de poisson blanc.

Edamames grillés, épicés

10 PORTIONS DE 30 ML (2 C. À SOUPE)

VALEUR NUTRITIVE PAR PORTION
CALORIES: 60 **PROTÉINES:** 4 g **GLUCIDES:** 3 g **LIPIDES:** 3 g **FIBRES:** 2 g **CALCIUM:** 2 % **FER:** 6 %

Ingrédients

500 ml (2 tasses) d'edamames surgelés

15 ml (1 c. à soupe) d'huile d'olive

5 ml (1 c. à thé) de cari en poudre

2 ml (½ c. à thé) de cumin

Sel et poivre, au goût

Préparation

1- Préchauffer le four à 180 °C (350 °F).

2- Cuire les edamames dans de l'eau bouillante salée environ 4 minutes. Bien les égoutter. Au besoin, les assécher avec un papier absorbant.

3- Mélanger dans un bol les edamames, l'huile et les épices. Étendre le mélange sur une plaque de cuisson recouverte de papier parchemin.

4- Cuire au four 45 minutes en retournant le mélange aux 15 minutes environ. Si les edamames ne sont pas suffisamment croquants, poursuivre la cuisson.

Des plantes potentiellement bénéfiques

L'actée à grappes noires est reconnue et utilisée en Allemagne pour soulager les symptômes de la ménopause, mais son usage est limité au Québec. On conseille de ne pas l'utiliser plus de six mois et d'être prudente si l'on est à risque de cancer du sein.

D'après des études, le trèfle rouge pourrait réduire les bouffées de chaleur.

Parmi les autres plantes étudiées, et possiblement bénéfiques, nommons la réglisse (pour régulariser les hormones), le millepertuis (un antidépresseur), le ginkgo biloba (pour améliorer la concentration et la mémoire) et la valériane (pour favoriser le sommeil).

FAVORISER UN SOMMEIL RÉPARATEUR

La ménopause est souvent accompagnée d'insomnie. Comme le sommeil joue un rôle important dans la régulation des hormones associées à la faim et à la sensation de satiété, le manque de sommeil favorise le gain de poids en plus d'affecter l'humeur. À la page 88, vous trouverez mes astuces pour mieux dormir.

AMÉLIORER SON MORAL

Beaucoup de femmes ménopausées se sentent plus irritables et ont le moral à plat. Pour pallier les sautes d'humeur, je conseille premièrement la prise de suppléments d'oméga-3, en raison de 1 gramme d'EPA (acide eicosapentaénoïque) par jour.

Mon deuxième conseil est de faire régulièrement de l'exercice pour favoriser la libération d'endorphines dans l'organisme; ces neurotransmetteurs sont très bénéfiques pour le moral.

Enfin, il faut éviter de retirer les produits céréaliers de son menu quotidien, au risque de voir les niveaux de sérotonine, l'hormone du bien-être, chuter en même temps que sa joie de vivre!

Reportez-vous au chapitre 3 pour d'autres conseils anti-déprime!

RÉDUIRE LES RISQUES DE MALADIES CARDIOVASCULAIRES

Quand les taux d'œstrogènes déclinent, les risques de maladies cardiovasculaires (MCV) augmentent. Pour améliorer son profil lipidique (et son taux de cholestérol sanguin), il faut réduire sa consommation de mauvais gras (saturés et trans) au profit des bons gras et augmenter son apport en fibres solubles. L'ajout de protéines de soya à son menu peut diminuer légèrement le cholestérol LDL (le «mauvais» cholestérol).

Puisque l'hypertension est aussi un facteur de risque des MCV, il faut également limiter son apport en sodium, tout en consommant beaucoup de potassium.

Voici mes conseils:

→ Réduisez votre consommation de gras saturés (huiles de palme et de palmiste, beurre, fromage gras, crème, viandes grasses).

→ Évitez tous les produits contenant des gras trans issus des huiles partiellement hydrogénées.

→ Consommez de bons gras (huile d'olive, huile de canola, avocat, noix et graines).
→ Mangez du poisson de 2 à 4 fois par semaine.
→ Incluez régulièrement le soya dans votre menu.
→ Introduisez les fibres solubles dans votre alimentation quotidienne (graines de chia, son d'avoine, psyllium, légumineuses).
→ Considérez la prise d'une consommation alcoolisée par jour (de préférence du vin rouge).
→ Limitez votre consommation de sodium à 2300 mg par jour.

CONSERVER DES OS SOLIDES

Au cours des 10 années suivant la ménopause, les femmes peuvent perdre annuellement de 2 à 3% de leur masse osseuse. Au Canada, 25% des femmes souffriront d'ostéoporose au cours de leur vie.

C'est vers l'âge de 30 ans que notre masse osseuse est à son maximum. Celle-ci se maintient jusqu'à l'âge de 40 ans, puis elle décline quelque peu chaque année. Vers l'âge de la ménopause (environ 51 ans), parce que les taux d'œstrogènes chutent, la masse osseuse décroît encore plus rapidement. L'hérédité, nos habitudes alimentaires, notre niveau d'activité physique et le tabagisme influencent notre masse osseuse.

10 CONSEILS POUR DES OS SOLIDES

1. Combler ses besoins en calcium

Le calcium est le minéral le plus abondant à l'intérieur du corps humain. La majorité du calcium, une fois assimilé, se fixe sur les os et sur les dents. En plus de contribuer à bâtir et à maintenir des os solides, il assure la contraction et le relâchement des muscles. Comme le tissu osseux se renouvelle constamment, le corps a un besoin perpétuel de calcium, même à l'âge adulte.

Besoins quotidiens en calcium

Âge	Quantité
19-50 ans	1000 mg
51 ans et plus	1200 mg

Si vous avez une intolérance au lactose (sucre du lait), optez pour les boissons végétales (amandes, riz, soya) enrichies en calcium et pour les produits laitiers sans lactose (lait, fromage et yogourt).

Principales sources de calcium

Aliments	Portion	Calcium
Fromages		
Gruyère	50 g (1 ¾ oz)	500 mg
Suisse	50 g (1 ¾ oz)	400 mg
Brick, cheddar, colby, edam, gouda	50 g (1 ¾ oz)	340-360 mg
Mozzarella	50 g (1 ¾ oz)	288 mg
Fromage cottage	250 ml (1 tasse)	145-165 mg
Lait et substituts		
Babeurre	250 ml (1 tasse)	370 mg
Lait de vache	250 ml (1 tasse)	300-320 mg
Boisson de soya ou de riz enrichie de calcium	250 ml (1 tasse)	319 mg
Lait en poudre	24 g (4 c. à soupe)	302 mg
Yogourts		
Yogourt nature	175 g (¾ tasse)	282-320 mg
Yogourt, fruits au fond	175 g (¾ tasse)	214-250 mg
Autres		
Tofu, préparé avec du sulfate de calcium	175 ml (¾ tasse)	347 mg
Sardines de l'Atlantique, dans l'huile, avec arêtes	75 g (2 ½ oz)	286 mg
Saumon, avec arêtes, en conserve	75 g (2 ½ oz)	171 mg
Amandes	60 ml (¼ tasse)	93 mg
Brocoli, cru ou cuit	125 ml (½ tasse)	22-33 mg

Voici mes conseils pour augmenter votre apport quotidien en calcium :
→ Buvez des cafés au lait et du thé chaï allongé au lait.
→ Consommez fréquemment des légumes verts riches en calcium (cresson, épinards, bette à carde, brocoli, etc.).
→ Gratinez vos plats de pâtes et vos légumes.
→ Prenez du fromage léger en collation.
→ Mangez régulièrement des amandes.
→ Savourez des smoothies à base de lait ou de boissons végétales enrichies.
→ Optez pour du yogourt en guise de dessert ou pour d'autres desserts laitiers.

Bon à savoir

Consultez le tableau de la page 84 pour connaître les principales sources alimentaires de vitamine D.

2. Hausser son apport en vitamine D

La vitamine D est essentielle à la santé osseuse. Elle favorise l'absorption du calcium et du phosphore.

Selon Statistique Canada, en 2010, deux Canadiens sur trois n'avaient pas le taux sanguin souhaitable de vitamine D pour maintenir leur santé globale et prévenir les maladies.

Rappel des besoins journaliers en vitamine D

Âge	Besoins en vitamine D (UI)
51-70 ans	600
71 ans et plus	800

Pour s'assurer d'avoir l'apport recommandé, il faut consommer plusieurs aliments sources de vitamine D au quotidien. Voici deux exemples de menus:

Besoins quotidiens de vitamine D (selon l'âge)	Aliments au menu	Quantité (UI)
600 UI (de 1 à 70 ans)	2 verres de lait de 250 ml (1 tasse) chacun	206
	75 g (2 ½ oz) de saumon de l'Atlantique sauvage	246
	2 tranches de pain enrichi	50
	10 ml (2 c. à thé) de margarine non hydrogénée enrichie	50
	2 gros œufs	52
800 UI (71 ans et plus)	Aliments ci-dessus et:	
	175 g (¾ tasse) de yogourt enrichi	53
	25 g (env. 1 oz) de saumon	82
	1 verre de jus enrichi de 250 ml (1 tasse)	60

Pas facile de combler nos besoins quotidiens par les aliments seulement, n'est-ce pas? Et comme nous l'avons vu au chapitre 3, il est difficile de se fier uniquement à son exposition au soleil pour obtenir la quantité de vitamine D requise. Alors que Santé Canada recommande à tous les adultes de plus de 50 ans de prendre chaque jour un supplément de 400 UI de vitamine D, Ostéoporose Canada suggère une concentration plus élevée, soit 1000 UI par jour.

3. Consommer des aliments riches en vitamine K

La vitamine K joue un rôle dans la coagulation sanguine et la calcification osseuse. Plusieurs recherches ont tenté de confirmer les bienfaits de cette vitamine sur la prévention de l'ostéoporose avec parfois des résultats controversés. Si les études épidémiologiques confirment l'association positive, les études d'intervention sont moins concluantes. Considérant que certaines études ont démontré des effets positifs, je vous conseille d'intégrer les aliments riches en vitamine K dans vos menus.

Chez les personnes âgées de 19 ans et plus, les besoins quotidiens de vitamine K sont de 90 µg. Les meilleures sources (plus de 200 µg de vitamine K par 100 g) sont le brocoli, le chou frisé, la bette à carde, le navet, le cresson et les épinards. Parmi les autres bonnes sources (de 100 à 200 µg par 100 g) on trouve: le chou, les choux de Bruxelles, les feuilles de moutarde et les laitues.

Choisir le bon supplément

La plupart des suppléments vendus pour une consommation quotidienne comportent entre 400 et 1000 UI de vitamine D. Choisissez la concentration du supplément en fonction de la vitamine D fournie dans votre alimentation. Certains suppléments de multivitamines et de minéraux renferment aussi de la vitamine D.

Soyez vigilante face à une surdose possible. Comme elle est liposoluble, la vitamine D, lorsque prise en grande quantité, peut s'accumuler dans les tissus du corps. Ainsi, l'apport quotidien *maximal* suggéré est de 4000 UI pour toutes les personnes âgées de 9 ans et plus.

4. Surveiller sa consommation de sodium

En excès, ce minéral nuit au métabolisme osseux. Le sel (chlorure de sodium) favorise l'excrétion urinaire du calcium, ce qui nuit à nos os. Votre consommation quotidienne de sodium devrait donc être de 1500 à 2300 mg tout au plus.

5. Limiter sa consommation de caféine

Au-delà de 400 mg de caféine par jour, c'est-à-dire 3 cafés de 250 ml (3 tasses), l'excrétion urinaire de calcium est augmentée et son absorption, diminuée. Consommez donc le café de façon modérée et souvenez-vous que le thé, le chocolat et les boissons énergisantes contiennent aussi de la caféine.

6. Consommer suffisamment de protéines

Les personnes qui n'ingèrent pas assez de protéines présentent plus de risques de fractures. Il semble donc qu'une alimentation riche en protéines soit bénéfique pour les os. Elle limiterait la perte osseuse associée à l'âge.

7. Inclure des phytoestrogènes dans son alimentation

Les femmes ménopausées risquent davantage de souffrir d'ostéoporose, puisque leur taux d'hormones est plus faible qu'auparavant. Les phytoestrogènes, consommés régulièrement, pourraient renforcer la masse osseuse. Reportez-vous à la page 190 pour connaître les principales sources de phytoestrogènes.

8. Combler ses besoins en magnésium

Ce minéral est impliqué dans plusieurs fonctions de notre corps, en plus d'être une composante importante de nos os. On le trouve dans les légumes verts, le germe et le son de blé, les légumineuses, les noix, les graines et le chocolat noir. Comme une saine alimentation quotidienne fournit habituellement assez de magnésium pour nos besoins, la prise d'un supplément n'est pas nécessaire.

9. Cesser de fumer

Le tabagisme réduit la densité des os et les rend ainsi plus fragiles. C'est l'une des nombreuses raisons pour lesquelles il est recommandé de cesser de fumer.

10. Bouger

Tout comme la saine alimentation, l'exercice est essentiel à la santé osseuse. Une activité physique avec mise en charge (les jambes supportent le poids du corps), comme la marche et la danse, aide à construire et à maintenir la masse osseuse.

Passez à la cuisine!

Vous trouverez, dans ce livre, des recettes simples et délicieuses qui favorisent l'équilibre hormonal.

→ Soupe de miso, tofu et oignons verts (p. 192)
→ Edamames en salade, feta et menthe (p. 192)
→ Salade d'edamames à la grenade (p. 221)
→ Chili verde (p. 230)
→ Pétoncles en croûte de miso (p. 193)
→ Pad thaï aux crevettes (p. 241)
→ Tofu poêlé, purée d'edamames à la coriandre (p. 252)
→ Edamames grillés, épicés (p. 193)

VOICI UN EXEMPLE DE MENU QUOTIDIEN QUI POURRAIT ÊTRE CONSTRUIT À PARTIR DES RECETTES ADAPTÉES AUX DÉFIS HORMONAUX:

Ma journée top équilibre

Déjeuner	Collation am	Dîner	Collation pm	Souper	Collation soirée
1 kiwi + Gruau cuit dans du lait, additionné de graines de lin + 1 œuf	15 amandes	Soupe de miso, tofu et oignons verts (p. 192) + Craquelins de riz + 1 yogourt grec (format individuel)	Edamames grillés, épicés (p. 193) + Crudités	Salade de kale aux agrumes + Chili verde (p. 230)	Un verre de boisson de soya enrichie + 5 noix de Grenoble

Les astuces
de *Josée*

La ménopause inquiète. Elle peut même faire peur parfois, car ce qu'on nous dit à son sujet est souvent négatif. Mais tout n'est pas forcément sombre... surtout lorsqu'on prend sa santé en main. Cap sur une grande étape de la vie, avec ses changements, ses défis, ses questions et ses solutions.

Comme je suis moi-même directement concernée par le sujet, j'avoue me poser plusieurs questions sur la ménopause et me surprendre à craindre parfois les changements à venir. Tout n'est pas rose lorsqu'il est question de changements hormonaux, mais en creusant le sujet, on constate que des solutions existent.

Chaque fois qu'il est question de santé physique ou mentale, l'exercice régulier se taille une place de choix dans les moyens à prendre pour se sentir mieux. La ménopause ne fait pas exception, bien au contraire. L'exercice peut faire la différence à ce moment charnière de la vie.

DIMINUER L'INTENSITÉ DES BOUFFÉES DE CHALEUR

Les bouffées de chaleur sont réelles et varient énormément en intensité et en fréquence d'une femme à une autre. Elles seraient causées par un déséquilibre de la température corporelle. Les œstrogènes, ces hormones sécrétées par les ovaires, sont en partie responsables de la régulation de la température corporelle chez la femme. Lors de la ménopause, un déséquilibre se produit en raison de la baisse des œstrogènes. Des mécanismes comme la transpiration vont alors entrer en fonction pour rétablir la température idéale du corps.

De façon encourageante, certaines études démontrent que le fait de bouger régulièrement diminue la fréquence et l'intensité des bouffées de chaleur. Par exemple, des recherches menées auprès de femmes préménopausées (âge moyen de 45 ans) et postménopausées (âge moyen de 55 ans) ont évalué leur taux d'œstrogènes après qu'elles eurent participé à une activité aérobique. Chez toutes, on a trouvé une hausse de ce taux. De plus, 55 % d'entre elles ont déclaré avoir moins de bouffées de chaleur après l'exercice. L'activité physique est donc une façon naturelle de réduire ces inconforts.

AMÉLIORER LA DENSITÉ OSSEUSE

On estime que la perte de densité osseuse chez la femme est d'environ 0,75 % par année à partir de l'âge de 35 ans, mais dès que la ménopause s'installe, elle peut atteindre de 2 à 3 %. Bonne nouvelle: les exercices de musculation, sans ramener la densité osseuse perdue, semblent avoir un effet positif sur son maintien.

Des études ont réussi à démontrer que la musculation aide à maintenir une bonne densité osseuse chez les femmes ménopausées. Les effets sont ciblés. Le muscle qui tire régulièrement sur un os, au moyen de ses tendons, pousse cet os à s'adapter à la demande en devenant plus fort. Exactement comme le muscle qui s'adapte à une surcharge, en devenant lui aussi plus fort au fil des semaines, des mois et des années.

Une autre étude a même présenté des résultats emballants concernant des femmes âgées de 86 à 96 ans qui ont participé à un programme d'entraînement en renforcement musculaire. On a observé chez ces dernières une augmentation de la force physique, un meilleur équilibre et, au minimum, un maintien de leur densité osseuse. Quand on sait à quel point tous ces facteurs sont reliés directement ou indirectement aux chutes, aux fractures et à la perte d'autonomie, on comprend l'importance d'un programme d'entraînement complet chez les femmes de tout âge.

PRÉVENIR LES MALADIES CARDIOVASCULAIRES

L'augmentation du pourcentage de graisse, chez les femmes en pré- et en postménopause, se situe principalement au niveau de l'abdomen. Or, nous savons désormais que la graisse localisée à l'abdomen est la plus dangereuse pour la santé. Elle constitue un grand facteur de risques pour les maladies coronariennes.

Heureusement, les études démontrent qu'il n'est jamais trop tard et que, même s'il est en effet plus difficile de perdre du poids à cette étape de la vie, l'exercice, combiné à une saine alimentation, peut vous permettre de réduire votre tour de taille. Dans ce cas, un programme avec l'objectif précis d'augmenter la dépense énergétique quotidienne sera de mise. Parlez-en à votre entraîneur, il vous aidera à réduire votre indice de masse corporelle (IMC) et votre tour de taille. (Au besoin, reportez-vous également au chapitre 4 de ce livre, qui aborde la perte de poids.)

Bon à savoir

Les femmes ménopausées sont plus sujettes à l'ostéoporose, une perte du tissu osseux qui augmente les risques de fractures.

Sachez que l'ostéoporose est asymptomatique, ce qui signifie qu'on ignore son existence jusqu'à ce qu'elle se manifeste bruyamment! Heureusement, grâce aux exercices de renforcement musculaire, il y a de l'espoir.

PRÉVENIR LE CANCER DU SEIN

Une vaste étude, échelonnée sur neuf ans et menée auprès de 59 000 participantes, a permis de conclure qu'une simple marche d'une heure, quatre fois par semaine, diminuerait de 10 % les risques de développer un cancer du sein. Les chercheurs avaient demandé à ces femmes de suivre un programme d'exercice pendant quatre ans, tout de suite après le début de leur ménopause. Ils ont constaté que celles qui stoppaient l'exercice régulier avec l'arrivée de la ménopause voyaient leur risque de développer un cancer du sein grimper à nouveau.

Plusieurs experts s'entendent pour dire que les femmes qui font des activités physiques aérobiques depuis l'enfance réduisent d'environ 50 % le risque de cancer du sein. Certaines données récentes suggèrent même que les femmes sédentaires qui ont été actives durant leur enfance et leur adolescence continuent de bénéficier d'un effet protecteur contre les cancers hormonodépendants, comme le cancer du sein, bien qu'à un degré moindre que celles qui n'ont jamais cessé d'être actives.

AUGMENTER VOTRE LIBIDO

La diminution de la libido est un symptôme de la périménopause qui affecte environ 70 % des femmes. Chez certaines, la libido reprend son cours normal et peut même augmenter après l'arrivée de la ménopause. L'activité physique, ici aussi, peut contribuer à faire une différence.

Cela dit, mettons les choses au clair. Des études ont montré qu'on ne peut établir un lien direct entre l'exercice et la libido. En revanche, les

conclusions sont tout de même encourageantes et, au fond, bien évidentes : ce sont les effets généralisés de l'activité physique régulière qui favorisent une augmentation du désir sexuel. Le simple fait d'être plus détendue et de se sentir mieux dans sa peau peut faire une énorme différence !

Nous avons vu dans ce livre à quel point l'exercice régulier influe positivement sur l'estime de soi, le contrôle du stress et la dépression. Il est donc normal qu'en bout de ligne, notre libido aussi soit améliorée.

CHASSER LES IDÉES SOMBRES

Selon le National Institute for Health aux États-Unis, de 8 à 38 % des femmes ménopausées vivent des sautes d'humeur et des moments de grande irritabilité. Une étude de l'Université Harvard, menée auprès de 460 femmes ménopausées sans antécédents médicaux, a démontré qu'en raison des changements hormonaux, elles étaient deux fois plus sujettes à des dépressions que les femmes qui n'étaient pas en périménopause.

Comme nous l'avons vu au chapitre 3, l'activité physique vous permet de sécréter des endorphines, ces chères hormones qui « font du bien »…

Choisissez des activités qui détendent en plus de vous faire bouger. Le yoga, le Pilates et certains arts martiaux comme le taï-chi sont d'excellents choix : ils vous permettent de vous activer, de dépenser des calories, d'améliorer votre condition physique – et de vous sentir mieux, car ils diminuent le stress et l'anxiété qui peuvent parfois mener à une dépression.

Trouvez de légers défis qui vous permettront d'être fière de vous et de ressentir une sensation d'accomplissement personnel.

AMÉLIORER LA QUALITÉ DE VOTRE SOMMEIL

La qualité du sommeil est aussi perturbée par les changements hormonaux. Le stress, l'anxiété et les bouffées de chaleur peuvent miner les heures de repos et créer un cercle vicieux de fatigue et d'irritabilité.

Une des meilleures stratégies pour améliorer la qualité du sommeil est l'exercice « assez » vigoureux, idéalement en après-midi ou en début de soirée. L'exercice fait grimper la température corporelle, et lorsque celle-ci se met à redescendre quelques heures plus tard, tout le corps se prépare lentement à dormir. Le meilleur choix est un exercice cardiovasculaire (aérobique). Faites grimper vos fréquences cardiaques en courant, en marchant, en dansant, en nageant ou en pédalant… toute activité plaisante qui vous fait suer et qui fait pomper votre cœur conviendra !

Si vous préférez les activités en toute fin de journée, ou si votre horaire ne vous permet que ce moment, tournez-vous alors vers le yoga. Certaines études semblent démontrer que quelques séances de yoga par semaine pourraient diminuer les problèmes de sommeil et d'autres effets négatifs de la ménopause.

À retenir

Profitez de chaque occasion qui se présente à vous pour bouger et pour vous détendre.

QUEL TYPE D'ENTRAÎNEMENT CHOISIR ?

Votre programme d'exercice devrait inclure trois composantes clés, qui ont toutes une influence sur votre corps et les changements qu'il subit pendant et après la ménopause :

1. Du cardio, pour renforcer votre système cardiorespiratoire et pour brûler des calories ;
2. Du renforcement musculaire, pour améliorer ou maintenir votre tonus et votre force. Le renforcement du haut du dos, des épaules et des abdominaux pourrait vous aider à contrer les effets d'une colonne vertébrale qui s'affaiblit et dont les courbes peuvent même se modifier. Aussi, l'entraînement en force et en endurance musculaires vous permettra de maintenir et même d'améliorer votre autonomie au quotidien, pour de longues années.
3. Des exercices de flexibilité, qui demeurent essentiels au fil du temps. L'autonomie passe par une certaine force et une endurance musculaire, soit, mais qui veut avoir besoin d'aide pour lacer ses chaussures ou enfiler ses bottes dès la cinquantaine ?

Les fameux exercices de Kegel

Les changements hormonaux affectent aussi le tonus des muscles pelviens. Des fuites urinaires peuvent se produire plus souvent dans différents contextes. Les exercices de Kegel sont simples et discrets. Il s'agit de reproduire la contraction musculaire qui stopperait l'urine, par exemple. Faites ces exercices en tout temps, aussi souvent que vous le désirez !

En conclusion, gardez en tête que les saines habitudes de vie que vous adoptez tôt ou tard ont un grand effet sur votre santé mentale et physique. Les changements hormonaux chez la femme sont importants. Ils marquent les étapes clés et occupent une grande place dans nos vies. En bougeant régulièrement, par tous les moyens qui s'offrent à nous et qui nous font du bien, nous reprenons le contrôle. Nous faisons des choix intelligents.

À vous maintenant de mettre toutes les chances de votre côté pour savourer la vie à chacune de ses étapes !

CHAPITRE 7

Le carnet de recettes

Le smoothie énergisant probio

1 PORTION (un grand verre de 375 ml/1 ½ tasse)

VALEUR NUTRITIVE PAR PORTION
CALORIES: 270 **PROTÉINES:** 10 g **GLUCIDES:** 44 g **LIPIDES:** 6 g **FIBRES:** 7 g **CALCIUM:** 30 % **FER:** 10 %

Ingrédients

125 ml (½ tasse) de lait 1 % m.g.
½ banane
125 ml (½ tasse) de fraises
15 ml (1 c. à soupe) de graines de chia
1 contenant de boisson probiotique (de type DanActive)
    ou ½ pot de lait fermenté (de type Bio-K+)

Préparation

1- Passer au mélangeur tous les ingrédients.
    Déguster !

Truc : Pour garder votre smoothie froid plus longtemps, utilisez des fraises congelées ou des fraises fraîches du Québec que vous aurez mises au congélateur la veille. Vous pouvez aussi congeler quelques demi-bananes pelées et prêtes à utilisation pour vos smoothies.

NOTE SANTÉ
Voici un lait frappé qui combine plusieurs éléments clés pour avoir beaucoup d'énergie : glucides, vitamine C, probiotiques, vitamine D et fibres solubles. Un cocktail pour un pep assuré !

vitalité

express

minceur

beauté

Smoothie beauté

1 PORTION

VALEUR NUTRITIVE PAR PORTION

CALORIES: 350 **PROTÉINES:** 11 g **GLUCIDES:** 55 g **LIPIDES:** 9 g **FIBRES:** 6 g **CALCIUM:** 15 % **FER:** 15 %

Ingrédients

250 ml (1 tasse) de boisson d'amande

125 ml (½ tasse) de fraises (fraîches
   ou congelées)

125 ml (½ tasse) de bleuets (frais ou congelés)

10 ml (2 c. à thé) de sirop d'érable

80 ml (⅓ tasse) de yogourt nature 0 % m.g.

15 ml (1 c. à soupe) de germe de blé

15 ml (1 c. à soupe) de graines de chanvre

Préparation

1- Déposer tous les ingrédients dans le récipient d'un mélangeur électrique.

2- Réduire le tout en boisson.

*Variante : Remplacer le sirop d'érable
par une petite banane bien mûre.*

NOTE SANTÉ

*Ce smoothie comble 90 % de vos
besoins en vitamine C !*

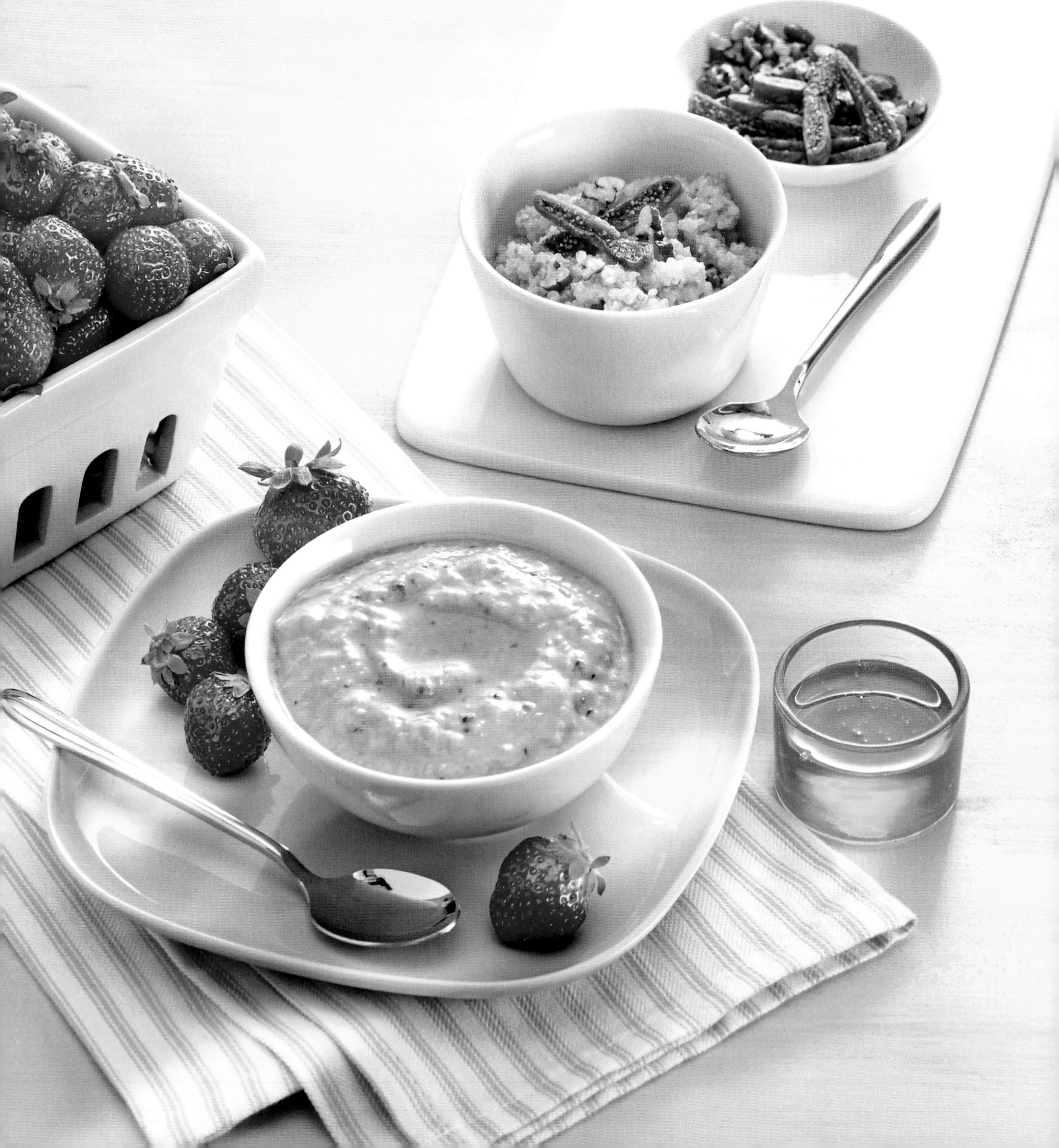

Quinoa matin crémeux

1 PORTION

VALEUR NUTRITIVE PAR PORTION

CALORIES: 400 **PROTÉINES:** 16 g **GLUCIDES:** 59 g **LIPIDES:** 11 g **FIBRES:** 5 g **CALCIUM:** 35 % **FER:** 20 %

Ingrédients

125 ml (½ tasse) de quinoa

250 ml (1 tasse) de lait 1 % m.g.

10 ml (2 c. à thé) de sirop d'érable

2 figues séchées, émincées

15 ml (1 c. à soupe) de pacanes, hachées

Préparation

1- Rincer le quinoa sous l'eau froide.

2- Dans une casserole, cuire à intensité moyenne-faible le quinoa dans le lait, pendant 15 minutes.

3- Ajouter le sirop d'érable et mélanger.

4- Verser dans un bol, parsemer de figues et de pacanes.

Variantes: Remplacer le lait par une boisson de soya ou d'amande. Remplacer les figues par des dattes séchées ou des pruneaux.

Truc: Si vous aimez votre quinoa crémeux, vous pouvez au besoin l'allonger avec du lait une fois la cuisson terminée.

Crème budwig vitalité

1 PORTION

VALEUR NUTRITIVE PAR PORTION

CALORIES: 280 **PROTÉINES:** 14 g **GLUCIDES:** 21 g **LIPIDES:** 16 g **FIBRES:** 2 g **CALCIUM:** 20 % **FER:** 8 %

Ingrédients

5 ml (1 c. à thé) d'huile de lin

80 ml (⅓ tasse) de fromage blanc
(de type ricotta légère)

15 ml (1 c. à soupe) de jus de citron frais

½ banane mûre, écrasée

15 ml (1 c. à soupe) de son d'avoine

15 ml (1 c. à soupe) de graines de chanvre

5 ml (1 c. à thé) de sirop d'érable ou de miel
(facultatif)

Préparation

1- Battre énergiquement l'huile et le fromage blanc pour émulsionner l'ensemble. On ne doit pas voir de traces d'huile. Ajouter les autres ingrédients et bien mélanger.

Variante: Remplacer le fromage blanc par du yogourt grec nature.

Crêpes aux figues et à la ricotta

2 PORTIONS

VALEUR NUTRITIVE PAR PORTION
CALORIES: 340 **PROTÉINES:** 14 g **GLUCIDES:** 52 g **LIPIDES:** 8 g **FIBRES:** 6 g **CALCIUM:** 15 % **FER:** 15 %

Ingrédients

125 ml (½ tasse) de farine de blé entier

1 ml (¼ c. à thé) de sel

180 ml (¾ tasse) de lait 1 % m.g.

1 œuf, battu

Huile en aérosol

5 ml (1 c. à thé) de beurre fondu

3 figues fraîches, coupées en quartiers

15 ml (1 c. à soupe) de sirop d'érable

60 ml (¼ tasse) de ricotta légère

Préparation

1- Mélanger la farine avec le sel.

2- Ajouter le lait et l'œuf, puis fouetter la préparation.

3- Laisser reposer la pâte pendant 15 à 30 minutes.

4- Enduire une poêle d'huile en aérosol. Chauffer la poêle à intensité moyenne et y cuire deux grandes crêpes avec la préparation. Réserver au chaud.

5- Dans la même poêle, glacer les figues avec le beurre et le sirop.

6- Garnir chaque crêpe de ricotta et de figues glacées de sirop d'érable.

Variantes : Remplacer les figues par des dattes et la ricotta par du yogourt grec nature.

Soupe aux pois chiches

4 PORTIONS DE 400 ml (1 ⅔ tasse)

VALEUR NUTRITIVE PAR PORTION

CALORIES: 270 **PROTÉINES:** 10 g **GLUCIDES:** 45 g **LIPIDES:** 5 g **FIBRES:** 8 g **CALCIUM:** 10 % **FER:** 30 %

Ingrédients

½ oignon

1 gousse d'ail, émincée

250 ml (1 tasse) de céleri, émincé

10 ml (2 c. à thé) d'huile d'olive

5 ml (1 c. à thé) de cumin, moulu

375 ml (1 ½ tasse) de carottes,
coupées en cubes

250 ml (1 tasse) de patates douces,
coupées en cubes

1 litre (4 tasses) de bouillon de légumes
réduit en sodium

1 boîte de 540 ml (19 oz) de pois chiches,
rincés et égouttés

Quartiers de citron (facultatif)

Coriandre ciselée (facultatif)

Préparation

1- Dans une casserole, faire revenir à intensité moyenne l'oignon, l'ail et le céleri dans l'huile d'olive. Ajouter le cumin. Cuire pendant 1 minute. Ajouter les carottes et les patates douces.

2- Verser le bouillon et laisser mijoter à feu moyen pendant 15 à 20 minutes, selon la taille des cubes de légumes.

3- Ajouter les pois chiches, poivrer et réchauffer pendant 5 minutes.

4- Au goût, ajouter des quartiers de citron et décorer de coriandre au moment de servir.

Variantes: Passer au mélangeur et servir en version lisse. Au besoin, ajouter un peu de lait ou de boisson d'amande.

Suggestion d'accompagnement: Servir avec un petit pain pita de blé entier grillé et une sauce au yogourt, concombre et ail.

vitalité

moral

minceur

beauté

Soupe asiatique

2 PORTIONS (GÉNÉREUSES)

VALEUR NUTRITIVE PAR PORTION
CALORIES: 310 **PROTÉINES:** 17 g **GLUCIDES:** 36 g **LIPIDES:** 11 g **FIBRES:** 4 g **CALCIUM:** 60 % **FER:** 30 %

Ingrédients

2 bok choy, émincés

250 ml (1 tasse) de chou nappa, émincé

125 ml (½ tasse) de champignons café,
coupés en deux

125 ml (½ tasse) de poivron rouge, coupé en
lanières très minces

10 ml (2 c. à thé) d'huile d'olive

4 tasses (1 litre) de bouillon de légumes
réduit en sodium

1 gousse d'ail, émincée

10 ml (2 c. à thé) de gingembre frais, râpé

1 ml (¼ c. à thé) de piment de Cayenne

50 g (1 ¾ oz) de vermicelles de riz

150 g (5 oz) de tofu ferme, coupé en cubes

Préparation

1- Faire revenir les légumes dans l'huile d'olive.

2- Ajouter le bouillon, l'ail, le gingembre, le piment de Cayenne et laisser mijoter pendant
10 minutes.

3- Ajouter les nouilles de riz et le tofu et poursuivre la cuisson pendant 2 minutes.

4- Répartir dans 2 bols et servir.

Variantes : Opter pour des champignons shiitakes et remplacer le tofu par des crevettes.

Salade de lentilles au saumon

1 PORTION

VALEUR NUTRITIVE PAR PORTION
CALORIES: 420 **PROTÉINES:** 27 g **GLUCIDES:** 36 g **LIPIDES:** 19 g **FIBRES:** 8 g **CALCIUM:** 4 % **FER:** 40 %

Ingrédients

500 ml (2 tasses) de bouillon de légumes
 réduit en sodium

80 ml (⅓ tasse) de lentilles rouges sèches
 (donne 180 ml/¾ tasse cuites)

½ poivron rouge, coupé en cubes

10 ml (2 c. à thé) d'oignon rouge,
 haché finement

½ boîte de 170 g (6 oz) de saumon
 en conserve

15 ml (1 c. à soupe) de persil plat

5 ml (1 c. à thé) d'aneth ciselé

15 ml (1 c. à soupe) d'huile de canola

5 ml (1 c. à thé) de jus de citron

Préparation

1- Dans une casserole, amener le bouillon à ébullition et ajouter les lentilles rouges.
 Cuire 15 minutes et égoutter.

2- Dans un saladier, verser les lentilles et ajouter le poivron, l'oignon, le saumon
 et les herbes. Bien mélanger le tout. Saler et poivrer.

3- Préparer la vinaigrette en fouettant l'huile de canola et le jus de citron,
 et verser sur la préparation.

*Suggestions d'accompagnement: Servir avec un muffin anglais grillé ou
ajouter 125 ml (½ tasse) de quinoa rouge cuit à la salade.*

Salade de jeunes épinards au poulet, clémentines et amandes

1 PORTION

VALEUR NUTRITIVE PAR PORTION

CALORIES: 460 **PROTÉINES:** 29 g **GLUCIDES:** 33 g **LIPIDES:** 24 g **FIBRES:** 5 g **CALCIUM:** 15 % **FER:** 25 %

Ingrédients

500 ml (2 tasses) de jeunes épinards

75 g (2 ½ oz) de poulet cuit, coupé en cubes

2 clémentines, pelées et préparées
   en quartiers

5 ml (1 c. à thé) de miel

5 ml (1 c. à thé) de vinaigre balsamique

15 ml (1 c. à soupe) d'huile de canola

15 ml (1 c. à soupe) d'amandes effilées, grillées

Préparation

1- Mélanger les épinards, le poulet et les clémentines dans un saladier.

2- Préparer la vinaigrette en fouettant le miel, le vinaigre balsamique et l'huile de canola.

3- Verser la vinaigrette sur la salade et décorer d'amandes effilées.

Variantes : Si ce n'est pas la saison des clémentines, remplacez-les par des cubes de pomme ou de poire. Remplacer les amandes par des noix de Grenoble.

Salade fraîcheur

1 PORTION

VALEUR NUTRITIVE PAR PORTION
CALORIES: 490 **PROTÉINES:** 25 g **GLUCIDES:** 31 g **LIPIDES:** 29 g **FIBRES:** 10 g **CALCIUM:** 10 % **FER:** 30 %

Ingrédients

½ avocat, coupé en quartiers

Les suprêmes d'un petit pamplemousse rose
et son jus

100 g (3 ½ oz) de crevettes nordiques, cuites

15 ml (1 c. à soupe) de poivron rouge,
coupé en très petits dés

15 ml (1 c. à soupe) de céleri, coupé
en très petits dés

Sel et poivre au goût

15 ml (1 c. à soupe) d'huile d'olive
ou d'huile de noix

5 ml (1 c. à thé) d'aneth frais

1 grande feuille de laitue Boston

Préparation

1- Dans un bol, mélanger les morceaux d'avocat, les suprêmes de pamplemousse, les crevettes, le poivron et le céleri. Saler et poivrer.

2- Préparer la vinaigrette en mélangeant l'huile, le jus de pamplemousse et l'aneth.

3- Déposer la feuille de laitue dans l'assiette et garnir du mélange avocat-pamplemousse-crevettes.

4- Arroser de vinaigrette.

Variante : Remplacer le pamplemousse par une orange.

Salade au teint de pêche

1 PORTION

VALEUR NUTRITIVE PAR PORTION
CALORIES: 400 **PROTÉINES:** 15 g **GLUCIDES:** 37 g **LIPIDES:** 21 g **FIBRES:** 7 g **CALCIUM:** 20 % **FER:** 15 %

Ingrédients

2 pêches (ou nectarines), coupées en quartiers

1 grosse tomate, coupée en quartiers

50 g (1 ¾ oz) de fromage feta léger, en cubes

15 ml (1 c. à soupe) de feuilles de menthe
   fraîche, ciselées

15 ml (1 c. à soupe) d'huile d'olive

5 ml (1 c. à thé) de vinaigre balsamique blanc

Sel et poivre au goût

Préparation

1- Dans un bol, mélanger les pêches, la tomate, le feta
   et la menthe.

2- Préparer la vinaigrette en mélangeant l'huile d'olive
   et le vinaigre balsamique. Arroser la salade de
   vinaigrette.

Variante: Remplacer les pêches par des quartiers de mangue.

NOTE SANTÉ
*Cette salade comble 60 % des besoins
en vitamine C et 35 % de ceux
en vitamine A.*

Salade de chou nappa au poulet

1 PORTION

VALEUR NUTRITIVE PAR PORTION
CALORIES: 440   **PROTÉINES:** 34 g   **GLUCIDES:** 14 g   **LIPIDES:** 27 g   **FIBRES:** 3 g   **CALCIUM:** 25 %   **FER:** 25 %

Ingrédients

375 ml (1 ½ tasse) de chou nappa

90 g (3 oz) de poulet cuit, coupé en cubes

30 ml (2 c. à soupe) de carotte, râpée

1 oignon vert, émincé finement

Sel et poivre noir au goût

10 ml (2 c. à thé) d'huile de canola

5 ml (1 c. à thé) d'huile de sésame

10 ml (2 c. à thé) de vinaigre de riz

5 ml (1 c. à thé) de miel

½ gousse d'ail, émincée

15 ml (1 c. à soupe) de graines de sésame, grillées

Préparation

1- Émincer le chou à la mandoline, puis le déposer dans un bol. Ajouter le poulet, la carotte et l'oignon vert. Assaisonner.

2- Préparer la vinaigrette en combinant l'huile de canola, l'huile de sésame, le vinaigre de riz, le miel et l'ail.

3- Verser la vinaigrette sur la salade de chou, mélanger et saupoudrer de graines de sésame grillées.

Variante: Remplacer le poulet par des crevettes cuites.

Salade de haricots blancs, graines de citrouille et canneberges

1 PORTION

VALEUR NUTRITIVE PAR PORTION
CALORIES: 490 **PROTÉINES:** 18 g **GLUCIDES:** 60 g **LIPIDES:** 20 g **FIBRES:** 14 g **CALCIUM:** 15 % **FER:** 60 %

Ingrédients

180 ml (¾ tasse) de haricots blancs en conserve, rincés et égouttés

½ poire, coupée en cubes

30 ml (2 c. à soupe) de graines de citrouille

15 ml (1 c. à soupe) de canneberges séchées

250 ml (1 tasse) d'épinards frais, hachés grossièrement

5 ml (1 c. à thé) de moutarde de Dijon à l'ancienne (en grains)

15 ml (1 c. à soupe) d'huile d'olive

15 ml (1 c. à soupe) de jus de pomme pur ou de jus d'orange

5 ml (1 c. à thé) de vinaigre de cidre

Sel et poivre au goût

Préparation

1- Dans un bol, mélanger les cinq premiers ingrédients.

2- Dans un petit bol, préparer la vinaigrette en mélangeant le reste des ingrédients. Saler et poivrer.

3- Verser la vinaigrette sur la salade.

beauté · beauté · beauté · beauté

vitalité · vitalité · vitalité

express · express · express

Salade d'edamames à la grenade

1 PORTION

VALEUR NUTRITIVE PAR PORTION
CALORIES: 460 **PROTÉINES:** 20 g **GLUCIDES:** 40 g **LIPIDES:** 24 g **FIBRES:** 7 g **CALCIUM:** 10 % **FER:** 30 %

Ingrédients

180 ml (¾ tasse) d'edamames

1 grenade

15 ml (1 c. à soupe) d'oignon rouge, haché finement

10 ml (2 c. à thé) de noix de Grenoble, hachées

Sel et poivre au goût

30 g (1 oz) de fromage de chèvre 21 % m.g., émietté

7,5 ml (½ c. à soupe) d'huile d'olive

2 ml (½ c. à thé) d'huile de noix

5 ml (1 c. à thé) de vinaigre balsamique blanc

Préparation

1- Plonger les edamames dans l'eau bouillante salée et les faire cuire pendant 3 à 4 minutes. Égoutter.

2- Retirer les arilles de la grenade.

3- Dans un bol à salade, mélanger les edamames avec les arilles, l'oignon et les noix. Saler et poivrer.

4- Garnir de fromage de chèvre.

5- Préparer la vinaigrette en mélangeant les huiles et le vinaigre, puis la verser sur la salade.

Variante: Remplacer les arilles par 30 ml (2 c. à soupe) de canneberges séchées.

Orge, bleuets et poulet en salade

1 PORTION

VALEUR NUTRITIVE PAR PORTION

CALORIES: 550 **PROTÉINES:** 32 g **GLUCIDES:** 58 g **LIPIDES:** 21 g **FIBRES:** 6 g **CALCIUM:** 4 % **FER:** 20 %

Ingrédients

60 ml (¼ tasse) d'orge perlé
(donne 310 ml/1 ¼ tasse cuit)

180 ml (¾ tasse) de bouillon de poulet réduit
en sodium

5 ml (1 c. à thé) de thym frais

1 échalote française, ciselée

75 g (2 ½ oz) de poulet cuit, coupé en cubes

125 ml (½ tasse) de bleuets frais

15 ml (1 c. à soupe) d'amandes, hachées

15 ml (1 c. à soupe) de basilic frais, ciselé

Sel et poivre noir au goût

10 ml (2 c. à thé) de vinaigre balsamique blanc

15 ml (1 c. à soupe) d'huile de canola

5 ml (1 c. à thé) de sirop d'érable ou de miel

Préparation

1- Dans une casserole, porter l'orge, le bouillon, le thym et l'échalote à ébullition.
Réduire le feu et laisser mijoter pendant 30 minutes à feu doux ou jusqu'à ce que
les grains d'orge soient cuits et aient absorbé tout le bouillon.

2- Verser dans un bol et laisser tiédir.

3- Ajouter le poulet, les bleuets, les amandes et le basilic à l'orge. Saler et poivrer.

4- Dans un petit bol, préparer la vinaigrette en mélangeant le vinaigre, l'huile de
canola et le sirop d'érable.

5- Arroser la salade de vinaigrette et bien mélanger.

Variante: Remplacer les bleuets par des petits pois verts.

Taboulé de chou-fleur

1 PORTION

VALEUR NUTRITIVE PAR PORTION
CALORIES: 240 **PROTÉINES:** 6 g **GLUCIDES:** 16 g **LIPIDES:** 17 g **FIBRES:** 5 g **CALCIUM:** 10 % **FER:** 25 %

Ingrédients

500 ml (2 tasses) de chou-fleur

30 ml (2 c. à soupe) de persil frais, haché

30 ml (2 c. à soupe) de coriandre fraîche, hachée

30 ml (2 c. à soupe) de tomate fraîche, en dés

Sel et poivre au goût

15 ml (1 c. à soupe) d'huile d'olive

15 ml (1 c. à soupe) de jus de citron

15 ml (1 c. à soupe) de noix de pin, grillées

Préparation

1- Au robot culinaire, hacher le chou-fleur afin d'obtenir un grain rappelant la semoule de blé.

2- Dans une casserole d'eau bouillante, cuire le chou-fleur 1 minute puis l'égoutter à l'aide d'un tamis fin (voir le truc ci-dessous). Rincer à l'eau froide. Transférer dans un bol.

3- Ajouter le persil, la coriandre et les dés de tomate, puis saler et poivrer.

4- Préparer la vinaigrette en mélangeant l'huile d'olive et le jus de citron. Verser sur le taboulé et assaisonner. Garnir de noix de pin.

Variantes: Ajouter des cubes de poulet ou du tofu émietté pour en faire un repas complet.

Truc: Vous n'avez pas de tamis assez fin? Déposez une double couche de papier essuie-tout au fond d'une passoire. Versez le liquide doucement.

NOTE SANTÉ

Voilà une façon astucieuse d'alléger la teneur en calories et en glucides du taboulé. Il suffit de troquer le grain céréalier pour du chou-fleur.

Duo de betteraves au fromage halloumi

1 PORTION

VALEUR NUTRITIVE PAR PORTION
CALORIES : 430 **PROTÉINES :** 16 g **GLUCIDES :** 29 g **LIPIDES :** 28 g **FIBRES :** 5 g **CALCIUM :** 40 % **FER :** 15 %

Ingrédients

125 ml (½ tasse) de betteraves jaunes,
  cuites et pelées

250 ml (1 tasse) de betteraves rouges,
  cuites et pelées

50 g (1 ¾ oz) de fromage halloumi,
  coupé en tranches

15 ml (1 c. à soupe) de noix de Grenoble, en
  moitiés

15 ml (1 c. à soupe) de persil plat, ciselé

15 ml (1 c. à soupe) d'huile d'olive

10 ml (2 c. à thé) de vinaigre balsamique

5 ml (1 c. à thé) de sirop d'érable

Sel et poivre au goût

Préparation

1- Trancher les betteraves et les disposer dans une assiette.

2- Dans un poêlon antiadhésif, faire dorer le fromage halloumi.

3- Déposer le fromage sur les betteraves, ajouter les noix et le persil.

4- Préparer la vinaigrette en mélangeant l'huile, le vinaigre et le sirop d'érable.
   Saler et poivrer. Arroser la salade de vinaigrette.

Variante : Remplacer le fromage halloumi par
du fromage de chèvre.

Truc : Vous pouvez cuire les betteraves
au four. Il suffit d'emballer les
betteraves avec la pelure dans du
papier d'aluminium et de les faire
cuire pendant 60 minutes à 180 °C
(350 °F). Éplucher les betteraves
une fois qu'elles sont cuites.

Frittata aux asperges

1 PORTION

VALEUR NUTRITIVE PAR PORTION
CALORIES: 230 **PROTÉINES:** 19 g **GLUCIDES:** 3 g **LIPIDES:** 16 g **FIBRES:** 1 g **CALCIUM:** 10 % **FER:** 15 %

Ingrédients

2 asperges fraîches, coupées en tronçons

2 œufs

15 ml (1 c. à soupe) de lait 1 % m.g.

Sel et poivre au goût

1 oignon vert, ciselé

30 g (1 oz) de fromage de chèvre 21 % m.g.

Préparation

1- Faire cuire les asperges pendant 2 minutes au four à micro-ondes à puissance maximale dans un peu d'eau salée.

2- Dans un bol, fouetter les œufs avec le lait. Assaisonner.

3- Ajouter les asperges, l'oignon vert et le fromage de chèvre. Mélanger.

4- Faire cuire à feu doux dans une petite poêle jusqu'à l'obtention de la consistance désirée.

Variante: Remplacer le fromage de chèvre par du fromage suisse allégé.

Vous pouvez utiliser des asperges congelées. Si c'est le cas, sauter l'étape de la cuisson au four à micro-ondes.

Suggestion d'accompagnement: Servir avec un pain pita de blé entier tartiné de 15 ml (1 c. à soupe) d'hummus.

Grilled-cheese cheddar et pomme

1 PORTION

VALEUR NUTRITIVE PAR PORTION
CALORIES: 410 **PROTÉINES:** 20 g **GLUCIDES:** 40 g **LIPIDES:** 19 g **FIBRES:** 6 g **CALCIUM:** 45% **FER:** 15%

Ingrédients

10 ml (2 c. à thé) de beurre

2 tranches de pain à 100% de grains entiers

½ pomme, tranchée finement

50 g (1 ¾ oz) de fromage cheddar allégé (2 tranches)

Préparation

1- Beurrer les tranches de pain des deux côtés.

2- Les garnir de tranches de pomme et de deux tranches de fromage.

3- Dans une poêle, faire griller à intensité moyenne le sandwich des deux côtés, jusqu'à l'obtention d'une belle coloration dorée.

Variantes : Ajouter une tranche de jambon cuit ou de dinde.

Suggestion d'accompagnement : Servir avec une salade de roquette à l'huile de noix.

Sandwich tomate, thon, basilic et ricotta

1 PORTION

VALEUR NUTRITIVE PAR PORTION
CALORIES: 270 **PROTÉINES:** 24 g **GLUCIDES:** 32 g **LIPIDES:** 5 g **FIBRES:** 5 g **CALCIUM:** 15% **FER:** 20%

Ingrédients

60 g (2 oz) de thon en conserve, égoutté

30 ml (2 c. à soupe) de ricotta légère

1 ml (¼ c. à thé) de sel de céleri

Poivre au goût

2 tranches de pain à 100% de grains entiers

2 feuilles de basilic, ciselées

3 tranches de tomate

Préparation

1- Dans un petit bol, mélanger le thon, la ricotta et le sel de céleri. Poivrer.

2- Garnir le pain de la préparation, ajouter les feuilles de basilic et les tomates. Refermer.

Variante : Remplacer le thon par du crabe en conserve.

Suggestion d'accompagnement : Servir avec des tranches de poivron rouge et de l'hummus.

NOTE SANTÉ

Plusieurs femmes font l'erreur de ne manger qu'un sandwich aux tomates le midi, mais les protéines font alors défaut. En y ajoutant de la ricotta et du thon, on s'assure d'être soutenue beaucoup plus longtemps.

Sauté de bœuf aux légumes verts

1 PORTION

VALEUR NUTRITIVE PAR PORTION

CALORIES: 270 **PROTÉINES:** 25 g **GLUCIDES:** 12 g **LIPIDES:** 13 g **FIBRES:** 3 g **CALCIUM:** 8 % **FER:** 30 %

Ingrédients

5 ml (1 c. à thé) d'huile d'olive

5 ml (1 c. à thé) d'huile de sésame grillé

100 g (3 ½ oz) de bifteck de surlonge, coupé en lanières

½ gousse d'ail, émincée

5 ml (1 c. à thé) de gingembre frais, haché

250 ml (1 tasse) de pois mange-tout, coupés en deux

125 ml (½ tasse) de poivron vert, coupé en dés

80 ml (⅓ tasse) de bouillon de bœuf réduit en sodium

5 ml (1 c. à thé) de sauce aux huîtres

2 ml (½ c. à thé) de fécule de maïs

1 oignon vert, ciselé finement

15 ml (1 c. à soupe) de coriandre, hachée grossièrement

Graines de sésame grillées au goût (facultatif)

Préparation

1- Chauffer la moitié de la quantité des deux huiles dans un wok, à feu vif. Ajouter les lanières de bœuf et faire revenir jusqu'à ce qu'elles perdent leur coloration rosée (environ 3 à 4 minutes). Réserver.

2- Ajouter le reste des huiles et faire sauter l'ail et le gingembre. Ajouter les pois mange-tout, puis le poivron. Poursuivre la cuisson pendant environ 4 minutes jusqu'à ce qu'ils s'attendrissent tout en étant encore croquants.

3- Ajouter le bouillon de bœuf et la sauce aux huîtres, et porter à ébullition.

4- Dans un petit bol, délayer la fécule de maïs dans 60 ml (¼ tasse) d'eau froide. Ajouter au bouillon et mélanger jusqu'à épaississement.

5- Remettre les lanières de bœuf dans le wok et poivrer. Mélanger puis parsemer d'oignon vert et de coriandre. Si désiré, saupoudrer de graines de sésame grillées.

Variantes: Remplacer le bœuf par du poulet, des crevettes tigrées ou du tofu.

Suggestion d'accompagnement: Servir avec du riz brun.

Poivron farci au quinoa

1 PORTION

VALEUR NUTRITIVE PAR PORTION
CALORIES : 340 **PROTÉINES :** 28 g **GLUCIDES :** 31 g **LIPIDES :** 11 g **FIBRES :** 5 g **CALCIUM :** 10 % **FER :** 35 %

Ingrédients

1 gros poivron rouge

Huile en aérosol

100 g (3 ½ oz) de bœuf haché extra-maigre

½ gousse d'ail, hachée

Sel et poivre au goût

125 ml (½ tasse) de quinoa cuit

1 oignon vert, émincé

5 ml (1 c. à thé) d'origan frais, haché

10 ml (2 c. à thé) de chapelure italienne

10 ml (2 c. à thé) de fromage parmesan frais, râpé

Préparation

1- Préchauffer le four à 180 °C (350 °F).

2- Couper la tête du poivron et l'évider. Couper ensuite une fine tranche à la base du poivron pour qu'il puisse tenir debout. Réserver.

3- Dans une poêle antiadhésive enduite d'huile en aérosol, faire cuire le bœuf haché avec l'ail jusqu'à ce qu'il perde sa coloration rosée. Saler et poivrer. Ajouter le quinoa, l'oignon vert et l'origan. Mélanger puis déposer dans la cavité du poivron.

4- Mélanger la chapelure et le fromage puis saupoudrer sur la farce du poivron.

5- Déposer le poivron sur une plaque de cuisson recouverte d'un papier parchemin et cuire au four pendant 22 minutes.

Variantes : Remplacer le bœuf par la même quantité de tofu ferme, cuit de la même façon en l'émiettant. On peut aussi remplacer la chapelure par du germe de blé grillé.

Chili verde

2 PORTIONS

VALEUR NUTRITIVE PAR PORTION
CALORIES: 400 **PROTÉINES:** 31 g **GLUCIDES:** 32 g **LIPIDES:** 16 g **FIBRES:** 9 g **CALCIUM:** 15 % **FER:** 50 %

Ingrédients

10 ml (2 c. à thé) d'huile d'olive

60 ml (¼ tasse) d'oignon, haché

½ gousse d'ail, hachée

125 ml (½ tasse) de céleri, en dés

1 poivron vert, en dés

180 g (6 oz) de bœuf haché extra-maigre

Sel et poivre au goût

Poudre de chili au goût

1 boîte de 398 ml (14 oz) de tomates étuvées

250 ml (1 tasse) d'edamames surgelés

60 ml (¼ tasse) de maïs en grains surgelé

Préparation

1- Dans une casserole, chauffer l'huile et faire revenir l'oignon et l'ail. Ajouter les légumes et bien mélanger.

2- Ajouter la viande, saler, poivrer et épicer. Faire rissoler jusqu'à ce qu'elle perde sa coloration rosée.

3- Ajouter les tomates, les edamames et le maïs en grains. Laisser mijoter à demi-couvert pendant 30 minutes. Rectifier les assaisonnements au besoin.

Variantes: Pour une version végé, utilisez 500 ml (2 tasses) d'edamames et éliminez la viande. Vous pouvez aussi remplacer la viande par du tofu émietté.

Foie de veau à la pomme

1 PORTION

VALEUR NUTRITIVE PAR PORTION
CALORIES: 290 **PROTÉINES:** 20 g **GLUCIDES:** 20 g **LIPIDES:** 14 g **FIBRES:** 1 g **CALCIUM:** 2 % **FER:** 50 %

Ingrédients

5 ml (1 c. à thé) d'huile de canola

5 ml (1 c. à thé) de beurre

15 ml (1 c. à soupe) d'oignon rouge, émincé

½ pomme, coupée en quartiers minces

5 ml (1 c. à thé) de sirop d'érable

Farine tout usage

Poivre au goût

100 g (3 ½ oz) de foie de veau

15 ml (1 c. à soupe) de vinaigre de cidre

Préparation

1- Dans une poêle, chauffer la moitié de l'huile et la moitié du beurre à intensité moyenne-élevée. Faire revenir l'oignon pendant 1 minute. Ajouter les quartiers de pomme et les faire revenir jusqu'à ce qu'ils s'attendrissent. Ajouter le sirop d'érable. Réserver.

2- Enfariner et poivrer l'escalope de foie de veau.

3- Dans une autre poêle, chauffer le reste du beurre et de l'huile à intensité moyenne-élevée et y faire revenir le foie de veau 2 minutes de chaque côté. Déglacer la poêle au vinaigre de cidre de pomme (ne pas retirer la viande).

4- Déposer le foie dans une assiette de service et ajouter la préparation de pommes.

Variante: Remplacer le foie de veau par une escalope de veau.

Suggestion d'accompagnement: Servir avec une purée de céleri-rave.

Courgette farcie

1 PORTION

VALEUR NUTRITIVE PAR PORTION

CALORIES : 280 **PROTÉINES :** 29 g **GLUCIDES :** 19 g **LIPIDES :** 10 g **FIBRES :** 4 g **CALCIUM :** 15 % **FER :** 15 %

Ingrédients

1 courgette, coupée en deux sur la longueur

Huile en aérosol

15 ml (1 c. à soupe) d'oignon, émincé

60 ml (¼ tasse) de poivron vert, coupé en petits cubes

100 g (3 ½ oz) de veau haché maigre

1 branche de thym

30 ml (2 c. à soupe) de salsa du commerce

Sel et poivre au goût

30 ml (2 c. à soupe) de mozzarella partielle-ment écrémée, râpée

15 ml (1 c. à soupe) de chapelure de pain

Préparation

1- Préchauffer le four à 190 °C (375 °F).

2- Évider l'intérieur des moitiés de courgette avec une petite cuillère.

3- Dans une poêle enduite d'huile en aérosol, faire revenir l'oignon et le poivron. Les faire suer quelques minutes. Ajouter le veau et le thym. Cuire en mélangeant fréquemment jusqu'à ce que le veau perde sa coloration rosée. Ajouter la salsa et mélanger. Saler et poivrer.

4- Garnir de cette préparation les deux cavités de la courgette, saupoudrer de fromage et de chapelure.

5- Déposer les demi-courgettes dans un plat de cuisson et cuire au four de 25 à 30 minutes, ou jusqu'à ce qu'elles soient cuites.

Variantes : Remplacer le veau par du poulet haché ou de la dinde hachée.

Gratin de chou au jambon

1 PORTION

VALEUR NUTRITIVE PAR PORTION
CALORIES: 320 **PROTÉINES:** 29 g **GLUCIDES:** 22 g **LIPIDES:** 13 g **FIBRES:** 3 g **CALCIUM:** 30 % **FER:** 15 %

Ingrédients

250 ml (1 tasse) de fleurets de chou-fleur

125 ml (½ tasse) de fleurets de brocoli

125 ml (½ tasse) de lait 1 % m.g.

7 ml (1 ½ c. à thé) de fécule de maïs

5 ml (1 c. à thé) de beurre

5 ml (1 c. à thé) de farine tout usage

75 g (2 ½ oz) de jambon, coupé en cubes

Une pincée de muscade moulue

Poivre au goût

30 ml (2 c. à soupe) de fromage suisse léger, râpé

Préparation

1- Faire cuire le chou-fleur et le brocoli à la vapeur. Attention, ils doivent rester légèrement croquants. Réserver.

2- Dans un petit bol, mélanger le lait et la fécule de maïs. Réserver.

3- Dans une casserole chauffée à intensité moyenne, déposer le beurre et la farine, puis mélanger pour former une pâte. Verser ensuite progressivement le mélange lait-fécule. Fouetter jusqu'à ce que la sauce épaississe. Ajouter le jambon et la muscade. Poivrer.

4- Dans un petit plat allant au four, déposer le chou-fleur et le brocoli. Couvrir de la béchamel. Garnir de fromage et passer sous le gril quelques minutes, jusqu'à ce que le fromage fonde.

Variantes: Remplacer le chou-fleur par des asperges ou des endives.

Escalope de poulet au citron

1 PORTION

VALEUR NUTRITIVE PAR PORTION
CALORIES: 270 **PROTÉINES:** 30 g **GLUCIDES:** 11 g **LIPIDES:** 12 g **FIBRES:** 2 g **CALCIUM:** 4 % **FER:** 20 %

Ingrédients

15 ml (1 c. à soupe) de farine tout usage

120 g (4 oz) d'escalope de poulet

10 ml (2 c. à thé) d'huile d'olive

Le jus et le zeste de ½ citron

60 ml (¼ tasse) de bouillon de poulet réduit
en sodium

4 olives vertes, dénoyautées et coupées
en deux

Une branche de thym

Préparation

1- Enfariner l'escalope de poulet puis la secouer pour enlever l'excédent de farine.

2- Dans une poêle, chauffer l'huile à intensité moyenne-élevée et y faire revenir
l'escalope 2 minutes de chaque côté. Ajouter le jus et le zeste du citron et le
bouillon de poulet.

3- Parsemer d'olives et ajouter une branche de thym. Laisser réduire
la sauce 1 minute.

Variante : Remplacer le poulet par une escalope de veau.

Suggestion d'accompagnement : Servir avec de l'orzo au pesto de coriandre.

Couscous au poulet et petits pois

1 PORTION

VALEUR NUTRITIVE PAR PORTION
CALORIES: 470 **PROTÉINES:** 40 g **GLUCIDES:** 50 g **LIPIDES:** 12 g **FIBRES:** 6 g **CALCIUM:** 6 % **FER:** 25 %

Ingrédients

180 ml (¾ tasse) de bouillon de légumes
    réduit en sodium

1 ml (¼ c. à thé) de cumin moulu

1 ml (¼ c. à thé) de graines de coriandre,
    moulues

60 ml (¼ tasse) de couscous de blé entier
    (donne 150 ml/env. ⅔ tasse cuit)

125 ml (½ tasse) de petits pois verts surgelés

90 g (3 oz) de poulet cuit, coupé en dés

5 ml (1 c. à thé) d'huile d'olive

Sel et poivre au goût

Le zeste de ½ citron

Persil frais, haché au goût

Préparation

1- Dans une casserole, amener le bouillon de légumes à ébullition avec le cumin
   et la coriandre.

2- Retirer du feu et ajouter le couscous, couvrir et laisser gonfler pendant 5 minutes,
   puis défaire les grains à la fourchette.

3- Cuire les petits pois verts au four à micro-ondes à puissance maximale dans
   un peu d'eau (1 à 2 minutes), puis égoutter.

4- Verser les petits pois, le poulet et l'huile dans le couscous. Assaisonner.
   Garnir de zeste de citron et de persil.

*Variante: Remplacer les petits pois
verts par une macédoine
de légumes surgelés.*

Tilapia croustillant

1 PORTION

VALEUR NUTRITIVE PAR PORTION
CALORIES: 300 **PROTÉINES:** 28 g **GLUCIDES:** 8 g **LIPIDES:** 17 g **FIBRES:** 1 g **CALCIUM:** 6 % **FER:** 10 %

Ingrédients

120 g (4 oz) de tilapia
15 ml (1 c. à soupe) de pesto de basilic
Poivre au goût

30 ml (2 c. à soupe) de noix de Grenoble, hachées finement
15 ml (1 c. à soupe) de chapelure Panko
Quartier de citron

Préparation

1- Préchauffer le four à 180 °C (350 °F).

2- Tartiner le poisson de pesto avec le pinceau de cuisine. Poivrer.

3- Dans une assiette, mélanger les noix et la chapelure. Enrober le filet de poisson de cette préparation.

4- Déposer le poisson sur une plaque de cuisson recouverte d'un papier parchemin et cuire au four 8 minutes.

5- Servir accompagné d'un quartier de citron.

Variante: Remplacer le tilapia par un autre poisson blanc (morue, plie, pangasius, etc.).

Suggestion d'accompagnement: Servir avec un riz parfumé et quelques tomates cerises.

Morue à l'orange et crumble de noix à l'érable

1 PORTION

VALEUR NUTRITIVE PAR PORTION
CALORIES: 320 **PROTÉINES:** 23 g **GLUCIDES:** 22 g **LIPIDES:** 16 g **FIBRES:** 2 g **CALCIUM:** 4 % **FER:** 8 %

Ingrédients

120 g (4 oz) de filet de morue

Le jus de ½ orange

5 ml (1 c. à thé) d'huile d'olive

Le zeste de ½ orange

5 ml (1 c. à thé) d'huile d'olive

10 ml (2 c. à thé) d'échalote française, hachée

½ gousse d'ail, émincée

30 ml (2 c. à soupe) de noix de Grenoble, concassées

15 ml (1 c. à soupe) de sirop d'érable

5 ml (1 c. à thé) de ciboulette, ciselée

Préparation

1- Préchauffer le four à 200 °C (400 °F).

2- Déposer le filet de morue sur une plaque de cuisson recouverte d'un papier parchemin. Arroser de jus d'orange et d'huile d'olive. Ajouter le zeste et cuire au four environ 8 à 10 minutes, ou jusqu'à ce que la chair devienne opaque.

3- Pendant ce temps, chauffer l'huile d'olive dans une poêle et faire revenir l'échalote et l'ail. Ajouter les noix concassées et les faire dorer. Verser le sirop d'érable et bien remuer.

4- Garnir le poisson de cette préparation et décorer de ciboulette.

Variantes: Remplacer la morue par du tilapia ou du pangasius.

Suggestion d'accompagnement: Servir avec une salade de fenouil aux olives noires et du quinoa.

Saumon en croûte de pistaches

1 PORTION

VALEUR NUTRITIVE PAR PORTION
CALORIES: 300 **PROTÉINES:** 26 g **GLUCIDES:** 10 g **LIPIDES:** 17 g **FIBRES:** 1 g **CALCIUM:** 4 % **FER:** 8 %

Ingrédients

120 g (4 oz) de filet de saumon

Le jus de ¼ de citron

10 ml (2 c. à thé) de moutarde de Dijon

5 ml (1 c. à thé) de miel

2 ml (½ c. à thé) de graines de coriandre, moulues

15 ml (1 c. à soupe) de pistaches, concassées

Préparation

1- Préchauffer le four à 190 °C (375 °F).

2- Arroser le filet de saumon de jus de citron.

3- Tartiner le filet (d'un seul côté) de moutarde. Garnir de miel, de graines de coriandre et de pistaches.

4- Déposer le poisson sur une plaque de cuisson recouverte d'un papier parchemin et cuire au four de 10 à 12 minutes.

Variantes: Remplacer le saumon par du mahi-mahi et les pistaches par des pacanes.

moral • moral • moral • moral • moral

express • express • express • express

minceur • minceur • minceur • minceur

beauté • beauté • beauté • beauté

équilibre hormonal • équilibre hormonal

Saumon aux asperges, sauce au cari

1 PORTION

VALEUR NUTRITIVE PAR PORTION
CALORIES: 390 **PROTÉINES:** 32 g **GLUCIDES:** 14 g **LIPIDES:** 23 g **FIBRES:** 2 g **CALCIUM:** 25 % **FER:** 15 %

Ingrédients

10 ml (2 c. à thé) de beurre

10 ml (2 c. à thé) de farine tout usage

125 ml (½ tasse) de lait 1 % m.g.

1 ml (¼ c. à thé) de poudre de cari

1 oignon vert, émincé

15 ml (1 c. à soupe) de fromage suisse léger, râpé

5 asperges vertes, coupées en tronçons

120 g (4 oz) de filet de saumon

5 ml (1 c. à thé) de câpres

Préparation

1- Préchauffer le four à 180 °C (350 °F).

2- Dans une petite casserole, faire fondre le beurre en ajoutant graduellement la farine. Bien mélanger. Ajouter le lait progressivement et mélanger jusqu'à l'obtention de la consistance d'une sauce béchamel. Ajouter le cari, l'oignon vert et le fromage et laisser fondre.

3- Cuire les asperges au four à micro-ondes 3 minutes à puissance maximale dans un peu d'eau salée.

4- Déposer le poisson dans un plat allant au four, ajouter les asperges et la sauce au cari. Cuire au four 12 minutes.

5- Garnir de câpres au moment de servir.

Variante: Remplacer le saumon par du flétan.

Suggestion d'accompagnement: Servir avec de la courge musquée cuite au four.

Crevettes aux tomates épicées

1 PORTION

VALEUR NUTRITIVE PAR PORTION
CALORIES: 270 **PROTÉINES:** 23 g **GLUCIDES:** 14 g **LIPIDES:** 13 g **FIBRES:** 4 g **CALCIUM:** 10 % **FER:** 30 %

Ingrédients

30 ml (2 c. à soupe) d'oignon, haché

½ gousse d'ail, émincée

100 g (3 ½ oz) de crevettes moyennes, non cuites, décortiquées

125 ml (½ tasse) de bulbe de fenouil, émincé finement

10 ml (2 c. à thé) d'huile d'olive

180 ml (¾ tasse) de tomates, coupées en cubes

60 ml (¼ tasse) de poivron vert, coupé en petits dés

10 ml (2 c. à thé) de sauce chili

1 goutte de tabasco

5 olives noires, dénoyautées et tranchées

Préparation

1- Poêler l'oignon, l'ail, les crevettes et le fenouil dans l'huile à feu vif jusqu'à ce que les crevettes aient une coloration rosée. Retirer les crevettes de la poêle.

2- Dans la même poêle, ajouter les tomates, le poivron, la sauce chili et le tabasco et laisser réduire à feu moyen pendant 3 minutes.

3- Remettre les crevettes, mélanger et garnir d'olives.

Variantes: Servir la préparation sur des nouilles de riz ou des pâtes de blé entier.

Suggestion d'accompagnement: Servir avec un riz brun complet.

Pad thaï aux crevettes

1 PORTION

VALEUR NUTRITIVE PAR PORTION
CALORIES: 400 **PROTÉINES:** 28 g **GLUCIDES:** 52 g **LIPIDES:** 9 g **FIBRES:** 2 g **CALCIUM:** 10 % **FER:** 35 %

Ingrédients

50 g (1 ¾ oz) de nouilles soba (ou de riz)

5 ml (1 c. à thé) d'huile de canola

½ gousse d'ail, émincée

15 ml (1 c. à soupe) d'oignon, haché

125 ml (½ tasse) de poivron rouge, en dés

100 g (3 ½ oz) de crevettes décortiquées, non cuites

10 ml (2 c. à thé) de sauce de poisson

10 ml (2 c. à thé) de sauce soya légère

Le jus de ½ lime

2 ml (½ c. à thé) de gingembre frais, râpé

5 ml (1 c. à thé) de cassonade

10 ml (2 c. à thé) d'arachides, concassées

15 ml (1 c. à soupe) de coriandre fraîche

Préparation

1- Faire cuire les nouilles soba en suivant les instructions de l'emballage, puis égoutter.

2- Dans un wok très chaud, faire revenir dans l'huile l'ail, l'oignon et le poivron. Ajouter les crevettes et faire cuire pendant 3 minutes jusqu'à ce qu'elles aient une coloration rosée. Réserver.

3- Dans un petit bol, combiner la sauce de poisson, la sauce soya, le jus de lime, le gingembre et la cassonade. Bien mélanger.

4- Verser cette sauce sur la préparation aux crevettes. Ajouter les nouilles et bien mélanger. Servir parsemé d'arachides et de coriandre.

Variantes : Remplacer les crevettes par du bœuf à fondue, du poulet ou du tofu.

Croquettes de crabe

1 PORTION

VALEUR NUTRITIVE PAR PORTION
CALORIES: 420 **PROTÉINES:** 30 g **GLUCIDES:** 31 g **LIPIDES:** 19 g **FIBRES:** 2 g **CALCIUM:** 15 % **FER:** 25 %

Ingrédients

1 boîte de 120 g (4 oz) de crabe en conserve, égoutté

30 ml (2 c. à soupe) de céleri, haché finement

15 ml (1 c. à soupe) de persil, haché finement

15 ml (1 c. à soupe) de fromage à la crème léger

5 ml (1 c. à thé) de relish verte maison ou du commerce

1 oignon vert, ciselé finement

15 ml (1 c. à soupe) de farine tout usage

1 œuf, battu

60 ml (¼ tasse) de chapelure Panko

10 ml (2 c. à thé) d'huile d'olive

Préparation

1- Dans un grand bol, mélanger le crabe, le céleri, le persil, le fromage à la crème, la relish et l'oignon vert.

2- Façonner deux croquettes.

3- Enfariner les croquettes. Les tremper ensuite dans l'œuf, puis dans la chapelure.

4- Dans une poêle chaude, faire dorer les croquettes dans l'huile.

Variantes: Troquer le fromage à la crème régulier pour un fromage à la crème aromatisé aux herbes ou aux légumes.

Suggestion d'accompagnement: Servir avec de la sauce au raifort et des pommes de terre grelots à la ciboulette.

Pour un menu minceur: Manger une seule croquette au lieu de deux et l'accompagner d'une salade de fenouil.

Pâtes au thon et au pesto

1 PORTION

VALEUR NUTRITIVE PAR PORTION
CALORIES: 350 **PROTÉINES:** 25 g **GLUCIDES:** 43 g **LIPIDES:** 9 g **FIBRES:** 5 g **CALCIUM:** 6 % **FER:** 20 %

Ingrédients

15 ml (1 c. à soupe) de pesto aux amandes (voir chapitre 2, p. 49)

250 ml (1 tasse) de fusillis de blé entier, cuits

80 ml (⅓ tasse) de poivron jaune ou orange, coupé en petits dés

½ boîte de 170 g (6 oz) de thon en conserve, émietté et égoutté

Basilic frais, ciselé

Préparation

1- Dans un bol, mélanger le pesto, les fusillis, les dés de poivron et le thon émietté.

2- Garnir de basilic frais. Cette recette est délicieuse servie chaude ou froide.

Variante: Si vous ne tentez pas de contrôler votre poids, augmentez la quantité de pesto à 30 ml (2 c. à soupe).

Linguines au fromage à la crème et saumon fumé

1 PORTION

VALEUR NUTRITIVE PAR PORTION

CALORIES: 420　**PROTÉINES:** 24 g　**GLUCIDES:** 49 g　**LIPIDES:** 14 g　**FIBRES:** 5 g　**CALCIUM:** 6 %　**FER:** 25 %

Ingrédients

60 g (2 oz) de linguines (donne 250 ml/ 1 tasse cuits)

60 ml (¼ tasse) d'oignon rouge, émincé

5 ml (1 c. à thé) d'huile d'olive

30 ml (2 c. à soupe) de fromage à la crème léger

2 ml (½ c. à thé) de poivre rose

Le zeste de ½ citron

Sel et poivre au goût

60 g (2 oz) de saumon fumé, coupé en lanières

Aneth frais

Préparation

1- Cuire les pâtes selon les instructions de l'emballage en conservant environ 125 ml (½ tasse) de l'eau de cuisson.

2- Dans une poêle, faire revenir l'oignon 2 minutes dans l'huile. Ajouter graduellement le fromage à la crème et l'eau conservée de la cuisson des pâtes. Ajuster la quantité d'eau ajoutée selon la texture de la sauce désirée.

3- Ajouter ensuite les pâtes cuites, le poivre rose et le zeste de citron. Saler, poivrer et mélanger.

4- Ajouter le saumon fumé et garnir d'aneth frais.

Variante: Remplacer le fromage à la crème par de la ricotta.

moral · moral · moral · moral · moral · moral

vitalité · vitalité · vitalité · vitalité

beauté · beauté · beauté · beauté

Pennes sauce crémeuse au tofu

2 PORTIONS

VALEUR NUTRITIVE PAR PORTION
CALORIES: 260 **PROTÉINES:** 11 g **GLUCIDES:** 45 g **LIPIDES:** 4 g **FIBRES:** 6 g **CALCIUM:** 4 % **FER:** 20 %

Ingrédients

5 ml (1 c. à thé) d'ail, haché

30 ml (2 c. à soupe) d'oignon, haché

250 ml (1 tasse) de tomates cerises,
   coupées en deux

5 ml (1 c. à thé) d'huile d'olive

1 brin de thym frais ou
   2 ml (½ c. à thé) de thym séché

60 ml (¼ tasse) de tofu soyeux

2 ml (½ c. à thé) de piment de Cayenne

Sel et poivre au goût

500 ml (2 tasses) de pennes, cuites
   et chaudes

Basilic frais

Préparation

1- Dans une poêle chauffée à intensité moyenne, cuire l'ail, l'oignon et les tomates dans l'huile en ajoutant le thym. Laisser compoter de 6 à 8 minutes.

2- Ajouter le tofu, le piment de Cayenne, puis saler et poivrer.

3- Retirer le brin de thym et passer la préparation au mélangeur ou au pied-mélangeur.

4- Verser la sauce sur les pâtes chaudes et décorer de basilic.

Variante: Remplacer les pâtes par une courge spaghetti. Il suffit de couper la courge en deux, d'enlever les pépins et de cuire au four à 180 °C (350 °F) pendant 45 minutes. Une fois qu'elle est cuite, on peut détacher les filaments de courge à la fourchette.

Pâtes à la méditerranéenne

1 PORTION

VALEUR NUTRITIVE PAR PORTION
CALORIES: 438 **PROTÉINES:** 18 g **GLUCIDES:** 54 g **LIPIDES:** 16 g **FIBRES:** 7 g **CALCIUM:** 30 % **FER:** 30 %

Ingrédients

60 g (2 oz) de spaghettis de blé entier

½ gousse d'ail, émincée

5 ml (1 c. à thé) d'huile

375 ml (1 ½ tasse) de feuilles de bette à carde,
coupées grossièrement

125 ml (½ tasse) de tomates cerises,
coupées en deux

5 ml (1 c. à thé) d'origan frais, haché,
ou 2 ml (½ c. à thé) d'origan séché

50 g (1 ¾ oz) de feta allégé, émietté

Poivre au goût

Préparation

1- Faire cuire les pâtes selon les instructions sur l'emballage. Égoutter et réserver un peu d'eau de cuisson.

2- Dans une poêle, à feu moyen, faire revenir l'ail dans l'huile. Ajouter la bette à carde et faire revenir jusqu'à ce que les feuilles s'attendrissent.

3- Ajouter les tomates cerises et l'origan puis mélanger.

4- Verser les pâtes avec un peu d'eau de cuisson (environ 15 ml/1 c. à soupe). Ajouter le feta et laisser fondre légèrement. Poivrer.

Variantes: Remplacer le feta par du fromage de chèvre et la bette à carde par des jeunes pousses d'épinards.

Spaghetti de courgettes

1 PORTION

VALEUR NUTRITIVE PAR PORTION
CALORIES: 180 **PROTÉINES:** 8 g **GLUCIDES:** 23 g **LIPIDES:** 6 g **FIBRES:** 7 g **CALCIUM:** 8 % **FER:** 20 %

Ingrédients

2 petites courgettes, taillées en rubans à la mandoline (conserver la pelure)

5 ml (1 c. à thé) d'huile d'olive

Sel et poivre au goût

½ gousse d'ail, hachée

30 ml (2 c. à soupe) d'oignon, émincé

160 ml (⅔ tasse) de champignons blancs, en quartiers

250 ml (1 tasse) de tomates italiennes, coupées en cubes

10 ml (2 c. à thé) de basilic séché

15 ml (1 c. à soupe) de persil frais, haché

Préparation

1- Dans une poêle bien chaude, faire sauter les courgettes pendant 2 minutes dans l'huile. Saler et poivrer. Réserver.

2- Faire revenir dans la poêle l'ail, l'oignon et les champignons. Ajouter les tomates et le basilic et laisser mijoter pendant 10 minutes.

3- Verser le mélange sur les courgettes et garnir de persil.

Variantes: Servir le spaghetti de courgettes avec un pesto (voir chapitre 2, p. 49) ou la sauce crémeuse au tofu (voir p. 245).

Pizza express

1 PORTION

VALEUR NUTRITIVE PAR PORTION
CALORIES: 380 **PROTÉINES:** 41 g **GLUCIDES:** 30 g **LIPIDES:** 11 g **FIBRES:** 9 g **CALCIUM:** 40 % **FER:** 50 %

Ingrédients

15 ml (1 c. à soupe) de salsa du commerce

1 pain pita de blé entier moyen
(environ 45 g/½ oz)

½ poivron rouge, coupé en lanières

½ poivron jaune, coupé en lanières

75 g (2 ½ oz) de crevettes nordiques

50 g (1 ¾ oz) de mozzarella allégée, râpée

15 ml (1 c. à soupe) de ciboulette, ciselée

Préparation

1- Préchauffer le four à 200 °C (400 °F).

2- Étaler la salsa sur le pain pita. Garnir de poivrons, puis de crevettes. Parsemer de fromage.

3- Déposer la pizza sur une plaque de cuisson et cuire au four pendant 8 à 10 minutes.

4- À la sortie du four, déposer dans une assiette et garnir de ciboulette.

Casserole express aux haricots rouges

1 PORTION

VALEUR NUTRITIVE PAR PORTION
CALORIES: 360 **PROTÉINES:** 19 g **GLUCIDES:** 65 g **LIPIDES:** 3 g **FIBRES:** 14 g **CALCIUM:** 10 % **FER:** 50 %

Ingrédients

80 ml (⅓ tasse) de quinoa
(donne 180 ml/¾ tasse cuit)

160 ml (⅔ tasse) de bouillon de légumes
réduit en sodium

1 échalote française, hachée finement

80 ml (⅓ tasse) de poivron jaune,
coupé en petits dés

180 ml (¾ tasse) de haricots rouges
en conserve, rincés et égouttés

250 ml (1 tasse) d'épinards frais

1 pincée de piment de Cayenne

Préparation

1- Dans une petite casserole, mélanger le quinoa, le bouillon, l'échalote et le poivron. Porter à ébullition, réduire à feu moyen, couvrir et laisser mijoter pendant 15 minutes.

2- Ajouter les haricots rouges, les épinards et le piment de Cayenne. Cuire jusqu'à ce que les épinards soient tendres.

Sauté de pois chiches et d'aubergine

1 PORTION

VALEUR NUTRITIVE PAR PORTION

CALORIES: 330 **PROTÉINES:** 17 g **GLUCIDES:** 48 g **LIPIDES:** 8 g **FIBRES:** 11 g **CALCIUM:** 15 % **FER:** 35 %

Ingrédients

30 ml (2 c. à soupe) d'oignon, haché

5 ml (1 c. à thé) d'huile d'olive

5 ml (1 c. à thé) de poudre de cari

250 ml (1 tasse) d'aubergine, coupée
   en cubes

1 branche de céleri, tranchée

125 ml (½ tasse) de bouillon de légumes
   réduit en sodium

180 ml (¾ tasse) de pois chiches en conserve,
   rincés et égouttés

Poivre au goût

30 ml (2 c. à soupe) de yogourt grec nature
   0 % m.g.

Coriandre fraîche au goût

Préparation

1- Dans une poêle, faire revenir l'oignon dans l'huile à intensité moyenne. Ajouter
   le cari et bien mélanger.

2- Ajouter les cubes d'aubergine et le céleri, et faire dorer de 3 à 4 minutes.

3- Verser le bouillon de légumes et laisser mijoter 8 minutes.

4- Ajouter les pois chiches, poivrer et bien mélanger.

5- Servir garni de yogourt grec et de coriandre.

Variante: Remplacer les cubes d'aubergine par des dés de courgette.

Suggestion d'accompagnement: Servir avec un pain pita de blé entier.

express • express • express • express

vitalité • vitalité • vitalité • vitalité

minceur • minceur • minceur • minceur

Quinoa aux arachides

1 PORTION

VALEUR NUTRITIVE PAR PORTION
CALORIES: 490 **PROTÉINES:** 21 g **GLUCIDES:** 46 g **LIPIDES:** 25 g **FIBRES:** 10 g **CALCIUM:** 15 % **FER:** 35 %

Ingrédients

80 ml (⅓ tasse) de quinoa

160 ml (⅔ tasse) d'eau

5 ml (1 c. à thé) d'huile d'olive

125 ml (½ tasse) de brocoli, en petits fleurets

125 ml (½ tasse) de poivron orange, coupé en lanières

125 ml (½ tasse) d'edamames surgelés, décongelés

15 ml (1 c. à soupe) de beurre d'arachide

½ gousse d'ail, émincée

Le jus de ½ lime

5 ml (1 c. à thé) de sauce soya légère

5 ml (1 c. à thé) de gingembre frais, râpé

15 ml (1 c. à soupe) d'arachides, concassées

Préparation

1- Rincer et égoutter le quinoa. Verser dans une casserole, ajouter l'eau et amener à ébullition. Couvrir et laisser mijoter pendant 15 minutes, jusqu'à ce que l'eau soit absorbée. Retirer du feu et défaire les grains à la fourchette.

2- Dans une poêle chaude, faire revenir dans l'huile les légumes et les edamames pendant environ 4 minutes. Réserver.

3- Dans un petit bol, préparer la sauce en combinant le beurre d'arachide, l'ail, le jus de lime, la sauce soya et le gingembre. Ajouter de l'eau chaude au besoin (environ 30 ml/2 c. à soupe) jusqu'à l'obtention de la consistance désirée.

4- Verser la sauce sur les légumes et bien mélanger.

5- Transférer le quinoa dans un bol et le garnir des légumes. Saupoudrer d'arachides concassées.

Variante : Remplacer les edamames par 100 g (3 ½ oz) de lanières de poulet.

Tofu poêlé, purée d'edamames à la coriandre

1 PORTION

VALEUR NUTRITIVE PAR PORTION

CALORIES: 360 **PROTÉINES:** 25 g **GLUCIDES:** 16 g **LIPIDES:** 22 g **FIBRES:** 6 g **CALCIUM:** 70 % **FER:** 40 %

Ingrédients

5 ml (1 c. à thé) d'huile de sésame

5 ml (1 c. à thé) d'huile d'olive

1 ml (¼ c. à thé) de gingembre frais, râpé

½ gousse d'ail, émincée

100 g (3 ½ oz) de tofu ferme, en tranches

125 ml (½ tasse) d'edamames surgelés

Le jus de ¼ de lime

90 ml (6 c. à soupe) de bouillon de légumes réduit en sodium

15 ml (1 c. à soupe) de coriandre fraîche

Sel et poivre noir au goût

Préparation

1- Dans un bol, mélanger les huiles, le gingembre et l'ail. Y faire mariner le tofu pendant au moins 30 minutes.

2- Pendant ce temps, mettre les edamames dans une casserole d'eau bouillante et laisser cuire pendant 8 minutes.

3- Réduire les fèves en purée au mélangeur avec le jus de lime, le bouillon de légumes et la coriandre. Saler et poivrer.

4- Cuire le tofu dans une poêle chaude. Servir le tofu poêlé avec la purée.

Variante : Remplacer les edamames par des petits pois verts surgelés.

Crumble aux pêches

2 RAMEQUINS

VALEUR NUTRITIVE PAR PORTION
CALORIES: 220 **PROTÉINES:** 4 g **GLUCIDES:** 34 g (21 g de sucres) **LIPIDES:** 7 g **FIBRES:** 5 g **CALCIUM:** 2 % **FER:** 8 %

Ingrédients

2 pêches, coupées en cubes de la grosseur d'une bouchée

5 ml (1 c. à thé) de miel

80 ml (⅓ tasse) de flocons d'avoine

15 ml (1 c. à soupe) de beurre fondu

15 ml (1 c. à soupe) de cassonade

Préparation

1- Préchauffer le four à 180 °C (350 °F).

2- Répartir les pêches dans deux ramequins.
    Arroser de miel.

3- Dans un bol, bien mélanger avec les mains
    l'avoine, le beurre et la cassonade.

4- Garnir les pêches de crumble et cuire au four
    25 minutes.

Mousse légère au chocolat

3 PORTIONS DE 125 ml (½ tasse)

VALEUR NUTRITIVE PAR PORTION

CALORIES : 180 **PROTÉINES :** 9 g **GLUCIDES :** 13 g (7 g de sucres) **LIPIDES :** 10 g **FIBRES :** 3 g **CALCIUM :** 4 % **FER :** 25 %

Ingrédients

50 g (1 ¾ oz) de chocolat amer (ou non sucré)

4 blancs d'œufs (tempérés 10 minutes avant de les fouetter)

22 ml (1 ½ c. à soupe) de sucre

150 g (5 oz) de tofu soyeux, à la température ambiante

Préparation

1- Faire fondre le chocolat au bain-marie.

2- Dans un grand bol, battre les blancs d'œufs et le sucre en neige ferme. Ajouter à petites doses le tofu soyeux, puis finir en ajoutant le chocolat.

3- Verser dans trois coupes et réfrigérer pendant au moins 4 heures.

Pouding quinoa-coco

2 PORTIONS

VALEUR NUTRITIVE PAR PORTION

CALORIES: 170 **PROTÉINES:** 5 g **GLUCIDES:** 24 g (14 g de sucres) **LIPIDES:** 6 g **FIBRES:** 2 g **CALCIUM:** 8 % **FER:** 6 %

Ingrédients

60 ml (¼ tasse) de quinoa

15 ml (1 c. à soupe) de sucre

125 ml (½ tasse) de lait 1 % m.g.

125 ml (½ tasse) de lait de coco léger

2 abricots frais (ou séchés), coupés en dés

10 ml (2 c. à thé) de noix de coco sucrée, râpée

Préparation

1- Mettre le quinoa dans une casserole. Ajouter le sucre, le lait et le lait de coco. Porter à ébullition, puis réduire à feu doux et laisser mijoter pendant 20 minutes en mélangeant régulièrement.

2- Verser le quinoa dans un petit ramequin, ajouter les abricots puis saupoudrer de noix de coco et réfrigérer pendant au moins 4 heures.

Variante: Remplacer les abricots par de la mangue.

minceur · minceur · minceur · minceur

Clafoutis aux framboises

2 PORTIONS

VALEUR NUTRITIVE PAR PORTION

CALORIES: 180 **PROTÉINES:** 6 g **GLUCIDES:** 30 g (16 g de sucres) **LIPIDES:** 4 g **FIBRES:** 3 g **CALCIUM:** 6 % **FER:** 8 %

Ingrédients

1 œuf

30 ml (2 c. à soupe) de sucre

60 ml (¼ tasse) de farine tout usage

60 ml (¼ tasse) de lait 1 % m.g.

2 ml (½ c. à thé) de beurre

125 ml (½ tasse) de framboises

Préparation

1- Préchauffer le four à 180 °C (350 °F).

2- Dans un bol, battre l'œuf avec le sucre. Ajouter la farine, puis le lait. Mélanger jusqu'à ce que la préparation soit lisse.

3- Graisser deux ramequins avec le beurre. Déposer les framboises dans les ramequins.

4- Verser la préparation liquide sur les framboises et cuire au four 30 minutes.

Variante: Remplacer les framboises par des cerises dénoyautées.

Yogourt glacé aux bleuets

2 PORTIONS

VALEUR NUTRITIVE PAR PORTION

CALORIES: 180 **PROTÉINES:** 15 g **GLUCIDES:** 27 g (19 g de sucres) **LIPIDES:** 1 g **FIBRES:** 4 g **CALCIUM:** 10 % **FER:** 4 %

Ingrédients

500 ml (2 tasses) de bleuets surgelés

250 ml (1 tasse) de yogourt grec nature
    0 % m.g.

1 ou 2 feuilles de menthe

Le zeste de ½ citron

Préparation

1- Dans un robot ou un mélangeur, réduire tous les ingrédients en une purée lisse.

2- Verser la purée dans deux petits bols, en quantités égales.

3- Congeler pendant 4 heures ou jusqu'à ce que la consistance du yogourt glacé soit adéquate.

Variantes: Remplacer les bleuets par des mangues surgelées ou encore opter pour des fraises et remplacer la menthe par du basilic.

Les meilleures astuces

d'Isabelle

Manger au féminin

 ACCROÎTRE SON APPORT EN PROTÉINES

Plusieurs femmes ne consomment pas suffisamment de protéines. C'est particulièrement le cas au déjeuner et au dîner. Un apport insuffisant en protéines peut conduire à la fatigue et au manque d'énergie. En prime, les protéines jouent un rôle important dans la sensation de satiété et le maintien d'une bonne masse osseuse.

 MANGER DU POISSON AU MOINS DEUX FOIS PAR SEMAINE

De toutes les sources de protéines, le poisson, par son contenu en gras oméga-3, est un incontournable des menus hebdomadaires. Bon pour le moral et la santé du cœur, il a aussi des propriétés anti-inflammatoires et pourrait améliorer l'apparence de notre peau. Un must dans nos menus!

 PENSER GRAINES!

Graines de lin, de chia, de chanvre, de citrouille, de tournesol... elles sont toutes excellentes pour la femme. Sources de gras essentiels et de fibres, elles figurent parmi les alliés beauté.

 CONSOMMER SUFFISAMMENT DE CALCIUM ET DE VITAMINE D

Ce duo procure plusieurs bienfaits: santé des os, contrôle du poids, système immunitaire efficace... leurs propriétés sont nombreuses. Qu'ils proviennent des aliments ou des suppléments, le calcium et la vitamine D sont essentiels à la femme.

 MANGER PLUSIEURS FOIS PAR JOUR

Pour stabiliser notre niveau d'énergie, favoriser la perte de poids et réduire le risque de compulsions alimentaires, on suggère de manger fréquemment. Je conseille quotidiennement 3 repas légers et 2 ou 3 collations qui combinent glucides et protéines.

 CONSOMMER SUFFISAMMENT DE FIBRES

Pour prévenir la constipation, mieux contrôler sa glycémie et son taux de cholestérol, et pour se sentir rassasiée plus rapidement, les fibres sont des alliées incomparables. Les produits céréaliers, les légumes, les fruits, les légumineuses, les noix et les graines en sont de bonnes sources.

 FAIRE LE PLEIN DE FRUITS ET DE LÉGUMES, SOURCES D'ANTIOXYDANTS

Comme les fruits et les légumes ont une faible densité énergétique (ils contiennent peu de calories par rapport à leur volume), ils favorisent le contrôle du poids. Riches en antioxydants, ils diminuent les risques de plusieurs maladies chroniques et pourraient même freiner le vieillissement. Je conseille de consommer 3 fruits et 7 portions de légumes par jour.

 INTÉGRER LES LÉGUMINEUSES À SON MENU

Trop souvent négligées, les légumineuses ont pourtant plusieurs atouts. On apprécie leur contenu en fibres solubles tout comme leur apport en magnésium et en potassium. Je propose 2 repas à base de légumineuses par semaine dans le cadre d'une alimentation équilibrée.

PRENDRE DES PROBIOTIQUES AU QUOTIDIEN

Les probiotiques, qui sont des micro-organismes vivants, influencent favorablement notre flore intestinale (ou microbiote). En étant plus diversifiée, cette dernière améliore notre santé intestinale, notre système de défense naturelle ainsi que, probablement, notre humeur et le contrôle de notre poids. Puisque ces micro-organismes ne s'implantent pas dans notre intestin, nous devons en consommer tous les jours.

 LIMITER SA CONSOMMATION DE SODIUM

Pour la santé osseuse, le contrôle de la tension artérielle et aussi prévenir la rétention d'eau, il faut modérer sa consommation de sel. La quantité maximale à consommer par jour est de 2300 mg.

 BOIRE AU MOINS 2 LITRES (8 TASSES) D'EAU PAR JOUR

L'hydratation adéquate est essentielle aux fonctions normales de l'organisme. Puisque l'eau est dépourvue de calories, c'est la boisson de choix. Elle favorise un bon transit intestinal ainsi que le contrôle du poids et aide à éclaircir le teint.

 DIMINUER SA CONSOMMATION DE SUCRE

Le sucre est non seulement associé à l'obésité et au diabète, mais il pourrait aussi entraîner le vieillissement précoce. Puisqu'on peut se désensibiliser au sucre, il suffit de diminuer sa consommation progressivement.

 CONSOMMER DE BONS GRAS

Bénéfiques pour le cœur, les bons gras sont aussi associés à une peau plus saine. Qu'il s'agisse de l'huile d'olive ou de l'huile de canola, des gras provenant de l'avocat, des graines de chia ou de lin, ils font tous partie d'une saine alimentation.

 MANGER RÉGULIÈREMENT DES ALIMENTS DÉRIVÉS DU SOYA

Le soya pourrait améliorer le profil lipidique tout en allégeant certains symptômes de la ménopause (bouffées de chaleur, perte osseuse, etc.). Plusieurs produits dérivés du soya sont intéressants, notamment le miso, les edamames et les graines de soya rôties.

 ÉVITER LES EXCÈS ALIMENTAIRES

Trop manger peut accélérer le vieillissement tout en créant des troubles digestifs. Les excès en soirée perturbent aussi le sommeil. Manger léger est la clé de la longévité!

 MODÉRER SA CONSOMMATION D'ALCOOL

On sait qu'une consommation modérée d'alcool est saine pour le cœur. Par contre, au-delà de 7 à 9 consommations par semaine, le risque de cancer du sein, entre autres, s'élève considérablement.

 NE PAS S'INTERDIRE D'ALIMENTS

Se priver de manger certains aliments par crainte d'engraisser ne peut que mener à des fringales incontrôlables pour ces aliments. Mieux vaut manger de tout, en petites quantités, afin de mieux gérer son poids à long terme.

 CUISINER DAVANTAGE

En choisissant ses ingrédients et en adaptant les recettes, on s'offre une alimentation plus saine. L'important est d'être bien organisée et de planifier ses menus pour arriver à cuisiner la plupart de ses repas à la maison.

 MANGER LENTEMENT ET BIEN MASTIQUER

Pour mieux digérer et aussi ressentir les signaux de faim et de satiété, il faut bien mastiquer chaque bouchée et accorder au repas le temps nécessaire. C'est un moment de partage et de plaisir. Profitons-en!

 GÉRER SON STRESS ET MIEUX DORMIR

Le stress hausse le taux de cortisol en circulation dans le sang, ce qui perturbe le fonctionnement normal de l'organisme. Favorisant les fringales pour les aliments riches en glucides, le stress peut aussi conduire à une prise de poids, tout comme le manque de sommeil.

Les meilleures astuces

de Josée

Bouger au féminin

1 BOUGER DAVANTAGE!

Contrairement à la croyance populaire, l'activité physique n'est pas épuisante. Elle donne littéralement de l'énergie! Bougez chaque fois que l'occasion se présente.

2 CIBLER LA BONNE ACTIVITÉ ET LA BONNE INTENSITÉ

Trouvez la forme d'exercices qui vous plaît le plus et tentez de la faire régulièrement, à une intensité qui vous convient. Vous resterez ainsi motivée et vous reprendrez régulièrement votre programme.

3 ÉVITER LE SURENTRAÎNEMENT

N'en faites pas plus qu'il ne le faut. Vous ruineriez les résultats positifs de l'exercice. Surveillez les signes de fatigue et maintenez votre fréquence d'entraînement à 5 fois par semaine ou moins, selon l'activité choisie.

4 DEMEURER RÉALISTE ET Y ALLER PROGRESSIVEMENT

Rien ne presse. Ne vous fixez pas des objectifs décourageants, mais appréciez plutôt le merveilleux sentiment d'accomplissement et le bien-être que vous procure l'exercice au quotidien.

5 INSCRIRE SON «RENDEZ-VOUS SANTÉ» SUR LE CALENDRIER FAMILIAL OU À L'AGENDA

Votre moment d'entraînement est tout aussi important que tous les autres événements de la semaine!

6 POUR PLUS DE RÉSULTATS, TROQUER LA DURÉE POUR L'INTENSITÉ

Un entraînement moins long mais plus intense vous permet d'augmenter la dépense énergétique et les résultats. Par contre, la motivation devra être au rendez-vous, car cet entraînement est plus exigeant psychologiquement.

7 AJOUTER UNE DOSE DE PLAISIR À SON ENTRAÎNEMENT

Point de départ de la motivation, le plaisir doit être au rendez-vous. C'est ce qui vous donnera envie de répéter l'expérience...

8 SOULIGNER SES BONS COUPS

Ne vous gênez surtout pas pour souligner l'atteinte d'un objectif, mais aussi votre simple détermination!